Español

Libro para el alumno
Segundo grado

Español. Libro para el alumno. Segundo grado fue coordinado por personal académico de la Dirección General de Desarrollo Curricular (DGDC) y editado por la Dirección General de Materiales e Informática Educativa (DGMIE) de la Subsecretaría de Educación Básica (SEB) de la Secretaría de Educación Pública (SEP).

Secretaría de Educación Pública
Emilio Chuayffet Chemor

Subsecretaría de Educación Básica
Alba Martínez Olivé

Dirección General de Desarrollo Curricular/
Dirección General de Materiales e Informática Educativa
Hugo Balbuena Corro

Dirección General Adjunta para la Articulación Curricular de la Educación Básica
María Guadalupe Fuentes Cardona

Dirección General Adjunta de Materiales Educativos
Laura Athié Juárez

Coordinación general
Hugo Balbuena Corro

Coordinación académica
María Guadalupe Fuentes Cardona
Antonio Blanco Lerín

Autoras
Laura V. González Guerrero
Elia del Carmen Morales García

Revisión técnico pedagógica
Liliana Sicilia García
Guadalupe Gabriela Romero Maya
Elizabet Silva Castillo
Nieves Praxedis Montes

Apoyo técnico
Anayte Pérez Jiménez
Itzel Vargas Moreno

Coordinación editorial
Dirección Editorial, DGMIE/SEP
Patricia Gómez Rivera

Cuidado editorial
Alejandro Rodríguez Vázquez

Servicios editoriales
Efrén Calleja Macedo

Coordinación editorial
Mary Carmen Reyes López

Asistencia editorial
María Magdalena Alpizar Díaz
Rubí Fernández Nava

Ilustración
Primer y cuarto bimestres: Raúl Tena. Excepto páginas 28: Julián Cicero; 40: Gloria Calderas Lim; 42-44, 46: Ruth Rodríguez; 189: Rosi Aragón Okamura.
Segundo y quinto bimestres: Heyliana Flores. Excepto páginas 53, 57, 58, 238: Lucía Cristerna Aragón; 81: Gabriela Gómez Llorente; 95: Tania Recio.
Tercer bimestre: Juan José Güitron. Excepto página 131 inferior: Abraham Mauricio Salazar.

Dirección de arte y formación
Mireya Guerrero Cercós

Retoque digital
Ximena Pérez Viveros

Portada
Diseño: Ediciones Acapulco
Ilustración: *La Patria*,
Jorge González Camarena, 1962
Óleo sobre tela, 120 x 160 cm
Colección: Conaliteg
Fotografía: Enrique Bostelmann

Primera edición, 2014 (ciclo escolar 2014-2015)

D.R. © Secretaría de Educación Pública, 2014
Argentina 28, Centro,
06020, México, D.F.

ISBN: 978-607-514-798-7

Impreso en México
DISTRIBUCIÓN GRATUITA / PROHIBIDA SU VENTA

Español. Libro para el alumno. Segundo grado.
se imprimió por encargo de la Comisión Nacional de Libros de Texto Gratuitos,en los talleres de Litografía Magno Graf, S.A. de C.V., con domicilio en Calle E No. 6, Parque Industrial Puebla 2000, C.P. 72220, Puebla, Pue., en el mes de junio de 2014. El tiraje fue de 2'934,000 ejemplares.

Impreso en papel reciclado

Español

**Libro para el alumno
Segundo grado**

La Patria (1962),
Jorge González Camarena.

Esta obra ilustró la portada de los primeros libros de texto. Hoy la reproducimos aquí para mostrarte lo que entonces era una aspiración: que los libros de texto estuvieran entre los legados que la Patria deja a sus hijos.

El libro de texto que tienes en tus manos fue elaborado por la Secretaría de Educación Pública para ayudarte a estudiar y para que leyéndolo conozcas más de las personas y del mundo que te rodea.

Además del libro de texto, hay otros materiales diseñados para que los estudies y los comprendas con tu familia, como los Libros del Rincón.

¿Ya viste que en tu escuela hay una biblioteca escolar? Todos esos libros están ahí para que, como un explorador, visites sus páginas y descubras lugares y épocas que quizá no imaginabas. Leer sirve para tomar decisiones, para disfrutar, pero sobre todo sirve para aprender.

Conforme avancen las clases a lo largo del ciclo escolar, tus profesores profundizarán en los temas que se explican en este libro con el apoyo de grabaciones de audio, videos o páginas de internet, y te orientarán día a día para que aprendas por tu cuenta sobre las cosas que más te interesan.

En este libro encontrarás ilustraciones, fotografías y pinturas que acompañan a los textos y que, por sí mismas, son fuentes de información. Al observarlas notarás que hay diferentes formas de crear imágenes. Tal vez te des cuenta de cuál es tu favorita.

Las escuelas de México y los materiales educativos están transformándose. ¡Invita a tus papás a que revisen tus tareas! Platícales lo que haces en la escuela y pídeles que hablen con tus profesores sobre ti. ¿Por qué no pruebas leer con ellos tus libros? Muchos padres de familia y maestros participaron en su creación, trabajando con editores, investigadores y especialistas en las diferentes asignaturas.

Como ves, la experiencia, el trabajo y el conocimiento de muchas personas hicieron posible que este libro llegara a ti. Pero la verdadera vida de estas páginas comienza apenas ahora, contigo. Los libros son los mejores compañeros de viaje que pueden tenerse. ¡Que tengas éxito, explorador!

<Visita nuestro portal en http://basica.sep.gob.mx>

Cómo utilizar los íconos de tu libro

A lo largo de las lecciones vas a encontrar diferentes ilustraciones que te indican realizar alguna de las siguientes actividades:

Libro de lectura

Busca, en tu *Libro de lectura*, el texto indicado.

Mi historia lectora

Registra en la sección que se encuentra al final de este libro si te gustó o no el texto que leíste, el título y la fecha.

Mi bitácora de escritor

Registra en la sección que se encuentra al final de este libro las diferentes producciones que elaboraste, así como el título y la fecha.

 **Tiras recortables**

Atiende lo que tu maestro te va indicar para trabajar con las tiras grandes de papel que contienen palabras y oraciones.

 **Alfabeto recortable**

Vas a formar palabras con las letras del alfabeto que se encuentran al final de este libro.

 **Mi diccionario**

Busca en el diccionario las palabras que indiquen las lecciones y escríbelas con su significado en las últimas hojas de tu cuaderno.

Nuevos amigos

Ahora que ya estás en segundo grado, tal vez tengas nuevos compañeros. Preséntate y escucha las presentaciones de los demás para que se conozcan.

Escribe la información que vas a dar:

Me llamo _____ .

Tengo _____ de edad.

En la escuela me gusta _____

_____ .

En mi casa me gusta _____

_____ .

Dibuja a los compañeros que quieres que sean tus amigos y escribe sus nombres.

Subraya con rojo los nombres que inician con la misma letra que Belem, y con azul los que terminan con la misma letra que Francisco.

Félix

Blanca

Fernanda

Beatríz

Olga

Felipe

Mercedes

Mario

Oscar

Escribe dos nombres que inicien y dos que terminen con la misma letra que el tuyo.

_____   _____

_____   _____

El lugar donde vivo

Dile al grupo cómo es el lugar donde vives.

- ¿Es tranquilo o ruidoso?, ¿es una ciudad, un pueblo pequeño o un rancho?, ¿hay muchos árboles o sólo casas?, ¿queda lejos o cerca de la escuela?

Dibuja el lugar donde vives y escribe tu dirección.

12

Mi domicilio es:

Calle: _____

Número: _____ Número interior: _____

Colonia: _____

Municipio o delegación: _____

Estado: _____

Código postal: _____

Revisa si usaste letra inicial mayúscula en los nombres propios.

Di en voz alta tu dirección y compártela con tus compañeros.

¿Qué te gusta más?

Dile al grupo en qué te fijas para saber si unas palabras se parecen a otras.

- ¿Te fijas en cómo suenan?
- ¿Pones atención en lo que significan?
- ¿Observas si tienen las mismas letras?

Libro de lectura

Vas a leer un texto que se llama *¿Qué te gusta más?* Dile a un compañero de qué crees que va a tratar.

- Sigue en tu libro la lectura que hará el maestro para que veas si se trata de lo que tú pensaste.

Comenta con el grupo.

- ¿El texto que leíste es un cuento, un artículo informativo o un juego de palabras?

- ¿En el texto se narra la historia de un marinero, se da información sobre los ratones o se comparan algunas expresiones?

- ¿El texto presenta expresiones divertidas, equivocadas o serias?

Marca con una ✔ la respuesta que te gusta más para el final del texto.

Que volvamos a iniciar o que volemos a inventar.

Dile al grupo qué tendrías que hacer.

- Para volver a iniciar.
- Para volar a inventar.

Escribe y dibuja la comparación que más te gustó del texto.

Muestra tu dibujo a un compañero y pídele que te ayude a revisar y corregir lo que escribiste.

Mi historia lectora

¿En qué son diferentes?

Encierra en un círculo rojo las letras que cambian en la segunda palabra de cada par. Fíjate en el ejemplo.

marinero	ratones	niñas
maromero	patones	piñas

chamacos	pulguitas	árboles	lunas
chamucos	nalguitas	ángeles	cunas

dragones	melones	tacos
tragones	pelones	cacos

Cambia una o dos letras de cada palabra para formar otra.

rama _____   mono _____

libro _____   rosca _____

color _____   gato _____

pelota _____   carreta _____

mentiroso _____   muchacha _____

● **Compara con un compañero lo que escribiste.**

¿Terminan igual?

Comenta con el grupo lo que recuerdas de las rimas.

- ¿Cuándo decimos que dos palabras riman?
- ¿En qué tipo de textos se usa la rima?

Subraya con rojo los finales iguales en los siguientes pares de palabras.

enmarcado	morados
embarcado	mareados
dormilones	alados
comelones	helados

Con ayuda del maestro completa las siguientes comparaciones.

¿Qué te gusta más?

Una mascota enojada o una _____

_____ .

Dos gatos enamorados o dos _____

_____ .

Compara con un compañero lo que escribiste.

Mi bitácora de escritor

Sustantivos y adjetivos

Escribe los nombres de lo que se ilustra a continuación.

_____

_____

_____

_____

Investiga con el maestro cómo se llaman las palabras que sirven para nombrar objetos, plantas, animales y personas.

Las palabras que sirven para nombrar objetos, plantas, animales y

personas se llaman _____ .

Reúnete con un compañero para comentar cómo creen que son los siguientes sustantivos. Anoten dos palabras que los describan.

Sustantivo	¿Cómo es?
barco	
dragón	
astronauta	
piña	
mar	
rosa	

Las palabras que sirven para describir cómo son los objetos, los animales,

las plantas y las personas se llaman _____ .

En el siguiente texto, encierra en un círculo rojo los sustantivos, y en uno azul, los adjetivos.

La luz azul de la estrella enorme sorprendió al astronauta valiente que

viajaba en la nave misteriosa.

Pide a un compañero que te ayude a revisar y corregir tu trabajo.

Una leyenda africana

Comenta con el grupo lo que sabes de las leyendas.

- ¿Son historias reales o imaginarias?
- ¿Son nuevas o antiguas?
- ¿De qué hablan?, ¿de las costumbres de los pueblos o de su historia?

Vas a leer una leyenda que se llama *¿Por qué los perros se huelen los unos a los otros?* Dile a un compañero de qué crees que se va a tratar.

- Sigue en tu libro la lectura que hará el maestro para que veas si se trata de lo que pensaste.

- Marca con una ✔ la respuesta correcta de cada pregunta, de acuerdo con lo que dice la leyenda.

1. ¿Quién cuenta la leyenda?

   El abuelo Ussumane.

   El nieto Malafi.

   Los soberanos negros.

2. ¿Por qué la cuenta?

   Porque los perros se atravesaron.

   Porque estaba muy entusiasmado.

   Porque el niño le hizo una pregunta.

3. ¿Qué problema tuvieron los perros de la leyenda?

Uno de ellos quería las riquezas del otro.

Uno de ellos se enamoró de la hermana del otro.

Uno de ellos quería ser el más fuerte.

4. ¿Cuál fue la causa de que uno de los perros quisiera atacar al otro?

La negativa para casarse.

La negativa para luchar.

La negativa para enamorarse.

5. ¿Por qué el mensajero no llegó a dar el mensaje?

Porque le dio miedo.

Porque se fue a buscar esposa.

Porque olvidó el mensaje.

Escribe qué le diría el perro café al blanco para explicar por qué lo está oliendo, de acuerdo con lo que cuenta la leyenda.

"¿Por qué
me hueles?"

"Porque estoy buscando

_____".

Muestra tu dibujo a un compañero y pide que te ayude a revisar y corregir lo que escribiste.

Mi historia lectora

Las oraciones

Forma un equipo con dos compañeros y ordenen las palabras para armar oraciones que puedan leerse.

de África El cuenta abuelo leyendas.

_____ .

quería El casarse enamorado perro.

_____ .

mensajero al bañaron sirvientes Los cuidadosamente.

_____ .

se fue perro El buscar a mensajero esposa una.

_____ .

Pide a otro equipo que les ayude a revisar y corregir las palabras y los espacios entre ellas en las oraciones que escribieron.

Comenta con el grupo cuál de las siguientes oraciones se puede entender.

- El perro mensajero se fue a buscar una esposa.
- Se fue a buscar una esposa el perro mensajero.
- Una esposa el perro mensajero se fue a buscar.

El sujeto de la oración

Responde lo que se pregunta y escribe una oración uniendo las respuestas.

¿Quién dice algo?

_____.

¿Qué hace el abuelo?

_____

_____.

Oración

_____.

¿Qué hacen? _____

_____.

¿Quiénes? _____

_____.

Oración

_____.

¿Quién? _____ .

¿Qué hace? _____

_____ .

Oración

_____ .

Investiga con el maestro cómo se llama la parte de la oración que indica a la persona, animal o cosa que realiza la acción o de quien se dice algo.

Esa parte de la oración se llama _____ .

Subraya con rojo el sujeto de cada una de las siguientes oraciones.

El abuelo cuenta leyendas de África.

Los perros corretean cerca del fuego.

El perro enamorado lleva una flor en el hocico.

Los niños escuchan atentos al abuelo.

Los perros se huelen para buscar al mensajero perdido.

Compara con un compañero lo que subrayaste.

¿Cómo son los sujetos?

Observa las imágenes y lee las oraciones.
Escoge dos palabras del recuadro y escríbelas para decir cómo son los sujetos de las oraciones.

rubia	bonita	antiguas
misteriosas		travieso
curioso	elegante	guapo
viajeros	desconocidos	

El niño _____ y

_____ le hizo

una pregunta a su abuelito.

El mensajero _____ y

_____ se

escapó para casarse.

La perrita —————————— y

—————————————— se

enamoró del perro negro.

Unos perros ——————————

y ——————————————

se huelen entre sí para reconocerse.

Las leyendas —————————— y

—————————————— cuentan las

costumbres de los pueblos.

Compara tu trabajo con el que hicieron tus compañeros.
Revisa y corrige lo que sea necesario.

La Cigarra y la Hormiga

Las cigarras "cantan" durante el verano.

La actividad de algunas hormigas es llevar alimentos a sus nidos.

Platica con tu equipo las respuestas de las siguientes preguntas.

- ¿Cómo son las cigarras y las hormigas que has visto?
- ¿Qué costumbres de estos animales se parecen a las de las personas?
- ¿Conoces alguna fábula?, ¿cuál es su título?

- ¿De qué imaginas que tratará *La Cigarra y la Hormiga*?
- ¿Para qué te gustaría leerla?

Libro de lectura

La Cigarra y la Hormiga

Texto: Esopo, adaptación. / Ilustración: Julián Cicero

En cierto verano, una cigarra se encontraba debajo de un árbol. Ella solamente quería tirarse al sol, no trabajaba y se dedicaba únicamente a cantar.

Un día, pasó por ahí una hormiga que llevaba a cuestas un enorme grano de trigo para almacenarlo en su hormiguera.

La cigarra se burló de ella diciendo: —¡Pobre hormiguita! ¿Adónde vas con tanto peso? Me dan risa las hormigas, sólo saben trabajar.

30

Lee la fábula con un compañero.

Platica con el grupo sobre la fábula que leíste.

- ¿Se trató de lo que creías?
- ¿Se cumplió tu propósito para leerla?
- ¿Qué te gustó y qué no te gustó de ella?

Mi historia lectora

Palabras desconocidas de la fábula

Con tu equipo, busca en el diccionario el significado de la palabra que no entiendas en la oración que te indique tu maestro.

1. La Cigarra se encontró sin alimento cuando comenzó a soplar el **cierzo**.
2. La Hormiga, muy **diligente**, seguía acarreando provisiones.
3. La Hormiga, muy diligente, seguía acarreando **provisiones**.
4. La Cigarra decidió ir a pedirle algo a la hormiga para mantenerse hasta la **cosecha**.
5. La Hormiga se negó a hacer el papel de **prestamista**.
6. No debemos ser **holgazanes** como la cigarra.

Dile al grupo el significado de la oración que analizaste con tu equipo.

- Subraya el significado de cada oración.

1. Comenzó a soplar el cierzo.
   a. Soplar el globo.
   b. Soplar el viento.
   c. Soplar el silbato.

2. La Hormiga, muy diligente, acarreaba provisiones.
   a. La Hormiga trabaja bien, con interés y atención.
   b. La Hormiga se fija en lo que come.
   c. La Hormiga guarda lo que le pertenece.

3. La Hormiga, muy diligente, acarreaba provisiones.

   a. La Hormiga acarreaba a otras hormigas para guardarlas.

   b. La Hormiga acarreaba alimentos para guardarlos.

   c. La Hormiga acarreaba sus pertenencias para guardarlas.

4. La Cigarra decidió pedir algo a la Hormiga para mantenerse hasta la cosecha.

   a. La Cigarra pidió algo para tener que comer hasta que llegara el tiempo de recoger los alimentos del campo.

   b. La Cigarra pidió algo para tener que comer hasta que llegara el tiempo de regar las plantas del campo.

   c. La Cigarra pidió algo para tener que comer hasta que llegara el tiempo de regresar a su casa y preparar los alimentos.

5. La Hormiga se negó a hacer el papel de prestamista.
   a. La Hormiga no quiso prestarle dinero a la cigarra.
   b. La Hormiga no quiso prestarle comida a la cigarra.
   c. LaHormiga no quiso que la cigarra le prestara comida.

6. No debemos ser holgazanes como la Cigarra.
   a. Todos debemos trabajar.
   b. Todos debemos flojear.
   c. Todos debemos ser como la Cigarra.

Comenta con el grupo lo que subrayaste en la actividad anterior.

Escribe en tu cuaderno el significado de **cierzo**, **diligente**, **provisiones**, **cosecha**, **prestamista** y **holgazán**.

¿Qué ocurrió en la fábula?

Comenta con un compañero lo que ocurrió en el texto que leyeron.

- ¿Por qué la Cigarra se burló un poco de lo que hacía la Hormiga?
- ¿Por qué la Cigarra se quedó sin alimento?
- ¿Qué recordó la Cigarra que hacía la Hormiga?
- ¿Para qué la Cigarra pidió alimento a laHormiga?
- ¿Cuál fue la respuesta de la Hormiga?
- ¿Por qué el autor de la fábula nos dice que "no debemos ser holgazanes como la Cigarra"?
- ¿Por qué nos dice que "tampoco debemos burlarnos de las personas, como la Hormiga"?

Con la guía del maestro, escribe qué es la moraleja de una fábula.

_____

_____ .

Marca con una ✓ las ideas correctas sobre las partes de la fábula.

1. El problema que tuvo la Cigarra se dice:

En el inicio. ☐   En el final. ☐   En la moraleja. ☐

2. Sabemos que la Cigarra no pudo resolver su problema:

En el inicio. ☐   En el final. ☐   En la moraleja. ☐

3. La fábula nos dice lo que debemos aprender:

En el inicio. ☐   En el final. ☐   En la moraleja. ☐

Narra todas las partes de la fábula al grupo o a tus familiares para que se diviertan al escucharla.

Las opiniones

Encierra en un círculo la oración que dice cómo usas el lenguaje cuando quieres opinar.

a. Digo las características de un objeto.

b. Digo lo que sucedió primero, qué pasó después y qué al final.

c. Explico por qué pienso lo que digo.

Subraya las oraciones que expresan opiniones.

1. La cigarra es un animal con cuerpo fuerte y ojos grandes.

2. La cigarra es holgazana porque sólo canta y no trabaja.

3. La cigarra no juntó comida para los tiempos difíciles.

4. La hormiga es trabajadora porque siempre acarrea alimentos al nido.

Discute con tu equipo tus opiniones sobre las siguientes afirmaciones.

1. La cigarra es una holgazana.

2. La hormiga es una burlona.

3. Las personas son burlonas.

4. Las personas son holgazanas.

Comenta con el grupo tu opinión sobre lo que hizo la hormiga de la fábula.

¿Están bien escritas las palabras de la fábula?

Encuentra las palabras escritas con "h" en la fábula y anótalas en una lista.

_____   _____

_____   _____

_____   _____

Reúnete con dos compañeros y marquen con una ✓ las palabras que consideren bien escritas.

hormiga	■	ormiguita	■	ormigita	■
hormiguita	■	hormiguero	■	hormigero	■
cigarra	■	cigarita	■	cigarrota	■
cigarras	■	ciguarras	■	cigarota	■
holgazanes	■	olgazanes	■	olgasán	■
holgazaneando	■	holgazana	■	holgazán	■
hallándola	■	ayándola	■	hallandola	■
hayándola	■	allandola	■	hayandola	■

Compara con el grupo las palabras que marcaste y di por qué opinas que están bien o mal escritas.

Anota las palabras que describan lo representado en cada imagen.

_____

_____

Canek dijo

Escucha lo que platicará tu maestro sobre el autor del texto que vas a leer.

Responde con el grupo las siguientes preguntas.

- ¿Todas las personas lloran?
- ¿Por qué has llorado o te han dado ganas de llorar?
- ¿Llorar hace bien a las personas o les hace daño?
- ¿Qué piensas si escuchas decir "los hombres no lloran"?

Conversa con un compañero.

- ¿De qué crees que trate un texto titulado *Sólo los hombres lloran*?
- ¿Para qué lo leerás?

Libro de lectura

Lee en silencio el texto.

Comparte con un compañero tus respuestas a las siguientes preguntas.

- ¿El texto se trató de lo que pensaste?
- ¿Encontraste lo que querías al leerlo?
- ¿Qué piensas de lo que dice?

Subraya lo que significa cada oración numerada.

1. Canek dijo.
   a. Una persona expresó algo.
   b. Una persona va a decir algo.
   c. Una persona dice algo ahora.

2. Nunca tengas miedo de las lágrimas.
   a. No te asustes nunca con las lágrimas.
   b. Las lágrimas nunca dan miedo.
   c. Nunca te dé miedo llorar.

3. Ningún cobarde llora.
   a. Sólo los cobardes lloran.
   b. Los cobardes no lloran.
   c. Los cobardes lloran.

4. Sólo los hombres lloran.
   a. Todos los hombres que son valientes lloran.
   b. Lloran los hombres que no son valientes.
   c. Ningún hombre llora.

Platica con el grupo.

- ¿Quién dijo "las lágrimas siempre caen de rodillas"?
- ¿A quién se lo dijo?
- ¿Qué significa para ti esa expresión?

Mi historia lectora

Las palabras en Canek

Marca con una ✓ la oración en la que "solo" o "sólo" significa lo mismo que en *Sólo los hombres lloran*.

38

Fui al parque yo solo.

Soñé que volaba, pero sólo llegué hasta las nubes.

Mi hermana se comió dos paletas, yo sólo una.

A la bicicleta me subo solo.

Yo sólo quería correr más rápido, pero me caí.

Cuando me caí, sólo lloré un poco.

Escribe una oración en la que uses la palabra "sólo" con el mismo significado con que se usó en *Sólo los hombres lloran.*

_____

_____

_____

_____

Anota cuántas palabras tiene cada oración del texto que leíste.

1. Canek dijo. _____
2. Ningún cobarde llora. _____
3. Sólo los hombres lloran. _____
4. Nunca tengas miedo de las lágrimas. _____
5. Además, hijo, las lágrimas siempre caen de rodillas. _____

De las oraciones anteriores, escribe la que sólo tiene cuatro palabras.

_____

Anota la oración más corta de todas las anteriores.

_____

Platica con el grupo.

- En la palabra "Canek", ¿qué letras tienen el mismo sonido?
- ¿Crees que en español usamos la letra "k" en muchas palabras o en pocas?

40

Busca en el diccionario, en libros o en revistas algunas palabras en donde se use la letra "k" y anótalas.

_____

_____

_____

_____

_____

_____

_____

_____

Día de tianguis

Platica con el grupo tus respuestas a las siguientes preguntas.

- ¿Qué es un tianguis?
- ¿Con quién has ido al tianguis?
- ¿Qué haces cuando estás ahí?
- ¿Qué crees que ocurrirá en el cuento titulado *Día de tianguis*?
- ¿Para qué lo leerás?

Libro de lectura

Busca en el índice el nombre del texto, localiza la página donde comienza y observa las imágenes.

Con los verbos del recuadro siguiente, completa las oraciones que dicen lo que hizo el personaje de *Día de tianguis*.

> llegó aburrió sentó caminó sonrió vio llegó habló
> imaginó subió cargó saboreó imaginó dio encontró
> entregó fue abrir destapar salieron

1. La niña _____ feliz al tianguis.

2. Cuando su mamá se fue a hacer compras, ella se _____.

3. Entonces se puso de pie y _____ por todos los puestos.

4. Al ver tantas artesanías, su cara _____.

5. Después, _____ el puesto de frutas.

6. Luego, _____ a un señor vendiendo máscaras.

7. Y _____ con alguien que traía una máscara con

cuernos.

8. Ahí mismo se _____ que las personas con máscaras

volaban.

9. Luego siguió caminando y en el puesto de frutas se _____

a una caja y se _____ las frutas.

10. Más adelante se _____ en el campo.

11. Cuando llegó al puesto de artesanías de madera, le _____

mucho gusto.

12. Y se _____ que las figuras de animales salían vivas de

la pintura. Hasta _____ a un conejo.

13. Luego siguió caminando y se _____ a su mamá.

14. La mamá le _____ un cesto tejido con hojas de palma.

La niña lo _____ y se _____ a sentar en una banca.

15. Entonces se le ocurrió _____ el cesto, del que

_____ todas las cosas y animales que había visto en el

tianguis.

● Compara con el grupo los verbos que escribiste y escucha los que los demás anotaron.

44

El plan y la escritura del cuento

Narra para un compañero el cuento *Día de tianguis*.

- ¿Quién es el personaje principal?
- ¿Qué descubre en el tianguis?
- ¿Qué se imagina al final?

Platica con tu equipo el plan para escribir lo que sucede en la imagen que les indique su maestro.

1. Piensen lo que dirán de la imagen que les tocó.
2. Escriban una oración breve, después la ampliarán. Por ejemplo, si quieren contar cuándo y cómo llegó la niña al tianguis, es suficiente que anoten: "Llegada al tianguis".

Revisa con tu equipo las ideas del plan, decidan si están bien o mejórenlas.

Escucha las ideas que los demás equipos leerán en voz alta y lee las de tu equipo.

Redacten un párrafo a partir de la oración breve que anotaron, en el que incluyan descripciones con adjetivos, sustantivos y verbos necesarios.

_____

_____

_____

_____

_____

_____

_____

Revisa y corrige con tu equipo el párrafo que escribieron. Tomen en cuenta los siguientes puntos.

1. Contenido completo: que esté todo lo que se puede decir de la imagen.
2. Claridad de las ideas: que se entienda lo que se quiere decir.
3. Forma de contar: que se cuente como el grupo decidió.

El cuento terminado

Revisa la ortografía y la puntuación de lo que escribieron en el equipo y corrige lo necesario.

- Las mayúsculas al iniciar el párrafo y después de punto.
- Las palabras con "v", "b", "ll", "rr" y "h".
- Las comas para separar las palabras al enumerarlas.
- El punto y aparte al final de cada párrafo.

Lee con el grupo lo que escribió cada equipo y verifica que la historia esté ordenada, que no se hayan saltado imágenes y que el cuento se entiende.

Copia el cuento completo y muéstraselo a tu familia.

Mi bitácora de escritor

Bimestre II

Una niña muy bonita

Comenta con el grupo por qué crees que las personas tenemos diferentes tonos de piel.

- ¿Crees que nuestros padres y abuelos tienen algo que ver con nuestro tonos de piel?, ¿por qué?

- ¿Qué otras características pueden heredarnos nuestros familiares?

Libro de lectura

Niña bonita

Vas a leer un cuento que se llama *Niña bonita*. Reúnete con un compañero y dile de qué crees que se va a tratar y para qué lo vas a leer.

- Acuerden quién va a empezar a leer y, por turnos, cada quien lea una página hasta terminar el cuento.

Comenta con el grupo.

- ¿El cuento se trató de lo que tú creías?

- ¿Cumpliste tu propósito de lectura? ¿Por qué?

Mi diccionario

Escribe la palabra **mulata** con su significado.

52

Escribe los nombres de los personajes principales en la columna que contiene sus características.

Pelaje blanco, orejas rosas, ojos rojos.	Cabello rizado, ojos negros, piel oscura y brillante.

Comenta con un compañero las respuestas a las siguientes preguntas y luego escríbelas.

1. ¿Por qué el conejo quería saber el secreto para ser negro?

_____

_____

2. ¿En qué orden hizo los intentos el conejo para volverse negro? Anota 1, 2 y 3 para indicarlo.

_____ Comer muchas uvas negras.
_____ Echarse encima un frasco de tinta negra.
_____ Tomar mucho café negro.

3. ¿Por qué la niña bonita era negra? _____

_____

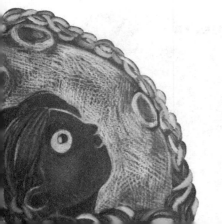

4. ¿Cómo logró el conejo blanco tener una hija negrita?

_____

5. ¿Qué parte del cuento te pareció más graciosa?

_____

6. Dibújala.

Comenta con el grupo por qué te gustó o no el cuento.

Mi historia lectora

Causas y consecuencias

Une con una línea cada causa con su consecuencia, de acuerdo con lo que dice el cuento *Niña bonita*.

Causas

Consecuencias

Cayó un aguacero.

El conejo pasó toda la noche haciendo pupú.

Tomó mucho café negro.

La niña inventaba respuestas.

No sabía por qué era negrita.

El conejo quedó blanco otra vez.

Comió muchas uvas negras.

La niña heredó los encantos de ser negra.

La abuela era negra.

El conejo pasó toda la noche haciendo pipí.

Escribe la causa de las siguientes acciones.

_____ , por eso llegué a tiempo.

_____ , por eso voy a tomar agua.

Escribe la consecuencia de las siguientes acciones.

Ya es la hora del recreo, por eso _____

_____ .

Mi amigo está enojado, por eso _____

_____ .

Pídele a un compañero que te ayude a revisar y corregir lo que escribiste.

Las descripciones

Observa las ilustraciones del cuento *Niña bonita* en tu *Libro de lectura*. Forma un equipo con dos compañeros y respondan las siguientes preguntas.

1. ¿Cómo es el papá conejo? _____

_____ .

2. ¿Cómo es la mamá coneja? _____

_____.

3. ¿Cómo son los hijos?, ¿a quién se parecen? _____

_____

_____

_____.

4. ¿Cómo es la niña? _____

_____.

5. ¿Qué está haciendo? _____

_____.

Intercambien sus libros con otro equipo para que comparen las respuestas que escribieron.

Me parezco a...

Investiga con tus familiares a quién te pareces más.

Pregunta si tienen fotografías de tus padres y de tus abuelos. De ser así, obsérvalas y descubre a quién te pareces más. Si no las hay, pide que te digan a quién te pareces y en qué eres semejante a esa persona.

Dibuja en el cuadro izquierdo el retrato de la persona a la que te pareces, y en el derecho, tu propio retrato.

Escribe tu descripción, luego explica a quién te pareces y en qué eres semejante a esa persona. Lee las pistas para que sepas qué datos debes incluir.

Yo soy _____

_____ .

Me parezco a _____

porque _____

_____

_____ .

Pistas

Estatura, tono de piel, color y textura del cabello, color y forma de los ojos, forma de la nariz, tamaño de la boca y forma de los labios, lunares, hoyuelos en las mejillas, carácter, gustos, etcétera.

60

Pide a un compañero que te ayude a revisar y corregir tu trabajo. Muestra a tu equipo los retratos que dibujaste y lee en voz alta la descripción que escribiste.

Solicita a un compañero del equipo que evalúe tu desempeño, utilizando el siguiente formato.

Tomó en cuenta todas las pistas al describirse		Explicó con claridad a quién se parece y por qué		Escribió ideas completas, sin errores y separó bien las palabras		En la presentación habló con buen volumen de voz y pronunció bien las palabras	
Sí	No	Sí	No	Sí	No	Sí	No
Observaciones		Observaciones		Observaciones		Observaciones	
_____		_____		_____		_____	
_____		_____		_____		_____	

La leyenda de los volcanes

Conversa con tu equipo sobre las respuestas a las siguientes preguntas.

- ¿Qué leyendas conoces?
- ¿En las leyendas se habla de cosas reales o imaginarias?
- ¿Los volcanes son reales o imaginarios?, ¿cómo lo sabes?
- ¿Cómo se llaman algunos volcanes de México?

Platica con el grupo ¿de qué crees que tratará *La leyenda de los volcanes* y para qué te interesaría leerla?

Libro de lectura

Sigue en tu libro la lectura que iniciará tu maestro.

Con un compañero busca y subraya la respuesta correcta de cada pregunta.

1. ¿Con quién se iba a casar Iztaccíhuatl?
   a. Con un joven emperador.
   b. Con un joven campesino.
   c. Con un joven guerrero.

2. ¿Cuál fue la causa por la que no se casaron?
   a. El joven perdió la guerra.
   b. Los enemigos del emperador atacaron.
   c. El emperador no supo que el joven había ganado la guerra.

3. ¿Por qué el emperador mandó a Popocatépetl a dirigir los combates?
   a. Porque el joven guerrero no quería casarse.
   b. Porque no quería que se casara con su hija.
   c. Porque el joven era un guerrero valiente e inteligente.

4. ¿Por qué el emperador no supo que Popocatépetl había ganado la guerra?
   a. Porque los guerreros estaban muy lejos.
   b. Porque unos guerreros envidiosos le dijeron una mentira.
   c. Porque algunos guerreros le dieron la noticia.

5. ¿Qué hizo la princesa al enterarse de la supuesta muerte de Popocatépetl?
   a. Se quedó sola.
   b. Se puso a comer.
   c. Se quedó dormida para siempre.

6. ¿Qué decidió hacer Popocatépetl cuando supo que la princesa se había quedado dormida y nadie podía despertarla?
   a. Se quedó con ella en el palacio.
   b. Se puso triste y dejó de comer.
   c. Se la llevó lejos y nadie volvió a verlos.

7. ¿Por qué se crearon los volcanes?

   a. Porque Iztaccíhuatl y Popocatépetl se fueron lejos.

   b. Porque el amor de Iztaccíhuatl y Popocatépetl hizo que surgieran de la tierra.

   c. Porque Iztaccíhuatl y Popocatépetl querían convertirse en volcanes.

Compara las respuestas que subrayaste con las del grupo y corrige lo que sea necesario.

Mi historia lectora

¿Cómo suena la "c"?

Separa en sílabas los nombres de los personajes y ve si eso te ayuda a pronunciarlos bien.

Iztaccíhuatl	Iz	tac		

Popocatépetl				

64

Escribe en el recuadro las palabras en las que la "c" suene fuerte, como en "Popocatépetl".

cuando

celebrar

ejércitos

decidieron

atacar

confió

combates

vencer

victoria

escuchó

comer

cayó

sucedió

encendida

ciudad

cielo

volcanes

corazón

Escribe otras palabras que lleven "c" con sonido fuerte, como en "volcanes".

_____   _____

_____   _____

_____   _____

_____   _____

Subraya las palabras en las que la "c" suene suave, como en "cielo".

cuando

celebrar

ejércitos

decidieron

atacar

confió

combates

vencer

victoria

escuchó

comer

cayó

sucedió

encendida

ciudad

cielo

volcanes

corazón

Lee las siguientes palabras y escribe la letra que sigue a la "c".

celebrar _____

ejércitos _____

decidieron _____

ciudad _____

cielo _____

vencer _____

sucedió _____

encendida _____

Escribe las letras necesarias para completar la siguiente información.

La "c" suena suave cuando le sigue una _____ o una _____ .

ENCENDIDA
CIELO

En la palabra "Iztaccíhuatl", la primera "c" suena _____ y la

segunda suena _____ .

Dile a un compañero los nombres de los personajes de la leyenda y escucha cómo los dice.

Los personajes de la leyenda

Recuerda con el grupo lo que se cuenta en cada parte de la leyenda.

La leyenda de los volcanes

Inicio

1. Lo que dice de las leyendas sobre los volcanes Popocatépetl e Iztaccíhuatl.
2. Presenta los personajes: el emperador, su hija y el joven guerrero.

Desarrollo

1. La causa por la que no se llevó a cabo la boda.
2. Lo que decidió el emperador.
3. Popocatépetl en la guerra.
4. Al emperador le dan mal la información.
5. Lo que hizo Iztaccíhuatl al enterarse de la noticia falsa.
6. Lo que hizo Popocatépetl cuando regresó.

Final

1. La sorpresa de las personas al ver los volcanes que lanzaban llamas hacia el cielo.
2. Lo que dijo el emperador sobre Iztaccíhuatl y Popocatépetl.

Comenta con tu equipo lo que imaginas de la vida de Iztaccíhuatl y Popocatépetl.

¿En qué lugar vivían?
¿Cómo eran físicamente?
¿Qué edad tenían?
¿A qué se dedicaban?
¿Cómo era su carácter?
¿Cómo era su ropa?

Registra las características de cada personaje en donde corresponda y, en medio, las que son comunes a los dos.

Iztaccíhuatl	Popocatépetl

Escribe los nombres de los personajes de *La leyenda de los volcanes* y de otros dos personajes de leyendas que conozcas.

_____ _____

_____ _____

_____ _____

_____ _____

Intercambia tu libro con un compañero y revisa que los nombres propios comiencen con mayúscula.

Platica con el grupo a partir de las siguientes preguntas.

- ¿Por qué crees que los personajes de *La leyenda de los volcanes* tenían esos nombres?
- ¿Crees que hablaban español o alguna otra lengua?
- ¿Crees que es importante conocer lenguas diferentes a la que tú hablas?, ¿por qué?

Lo que se comunica con palabras

Platica con el grupo qué palabras crees que usaron los guerreros para decirle al emperador que Popocatépetl había muerto.

Comenta con tu grupo cómo le informarías a Iztaccíhuatl que Popocatépetl no murió en el combate.

Elige palabras de cada recuadro para completar las oraciones, de manera que digan lo mismo que los enunciados numerados.

1. Se cuentan muchas leyendas sobre los volcanes Popocatépetl e Iztaccíhuatl.

Popocatépetl	forma	manera	Iztaccíhuatl

La gente cuenta de diferente _____ cómo se formaron el

_____ y el _____ .

2. Una de ellas dice que se trata de un poderoso emperador con espíritu guerrero.

guerra	leyenda

Una _____ dice que un emperador era poderoso y le

gustaba la _____ .

3. El emperador veía con agrado el matrimonio de su hija.

aceptaba	casara	rechazaba
no quería	estaba de acuerdo con	

El emperador _____ que su hija se _____ .

4. Iztaccíhuatl y Popocatépetl iban a celebrar su boda.

se iban a casar	iban a contraer matrimonio
festejarían su boda	

Iztaccíhuatl y Popocatépetl _____

_____ .

5. El emperador confió a Popocatépetl la misión de dirigir a sus hombres en los combates.

dio	pidió	el trabajo de dirigir
que dirigiera	su ejército	sus soldados

El emperador le _____ a Popocatépetl _____ a

_____ .

Cuéntale *La leyenda de los volcanes* a un compañero con las palabras que elijas para cada parte de la historia y luego nárrala para el grupo.

Los tepehuas

Comenta con el grupo lo que sabes del Día de Muertos.

- ¿Cómo se celebra en tu comunidad?
- ¿Qué objetos usan en la celebración?
- ¿Para qué se ponen ofrendas o altares en las casas?
- ¿Cómo se entera la gente de lo que se va a hacer durante las celebraciones?

Escribe las respuestas a las siguientes preguntas.

1. ¿Qué crees que dirá el texto informativo *Tepehuas*?

_____ .

2. ¿Para qué lo leerás?

_____ .

74

Lee y comenta el texto con un compañero. Escribe lo que comprendiste al leer este texto informativo.

1. ¿De quién o de qué habla el primer párrafo?

_____.

2. ¿Qué dice de ellos?

_____.

3. ¿De quién o de qué habla el segundo párrafo?

_____.

4. ¿Qué dice al respecto?

_____.

Dile al grupo de qué trata el artículo informativo que leíste.

Platica con tu equipo sobre lo que pensaste del texto antes de leerlo.

- ¿El texto mencionó algo de lo que creías que diría?
- ¿Su contenido te sirvió para cumplir tu propósito de leerlo?

Mi historia lectora

Las palabras del texto informativo

Relaciona en las siguientes columnas cada palabra con su significado y busca en el diccionario las que no sepas lo que quieren decir.

alma	Que está relacionada con algo.
altar	Corriente de poca agua, menor que un río.
arroyo	Espíritu o parte del ser humano que no se ve ni se toca, con la que se siente y se piensa.
asociada	Plataforma en donde se ponen flores y alimentos en honor a los antepasados familiares, difuntos cercanos o personajes ilustres.
caparazón	Que están doblados o torcidos en forma de curva.
encorvados	Protegen a una persona o cosa acompañándola a los lugares a donde acude o es conducida.
escoltan	Cubierta dura con que algunos animales protegen su cuerpo blando.
guajes	Conjunto de acciones que se practican de la misma forma.
ritual	Representan algo.
simbolizan	Frutos en forma de calabaza.

Subraya el significado de las expresiones escritas con rojo.

1. El primero de noviembre, parejas de hombres —uno vestido de mujer— representan a los ancianos que escoltan a las almas de los muertos.

Representan a:
a. Los ancianos que acompañan a los cuerpos de los muertos.
b. Los ancianos que acompañan a los espíritus de los muertos.

2. Escoltan a las almas de los muertos hacia la tierra de los vivos.

Escoltan a:
a. Los espíritus de los muertos hacia donde están los vivos.
b. Los cuerpos muertos hacia donde están los vivos.

3. Con palos encorvados que simbolizan rayos bailan ante altares dedicados a los muertos.

Con palos:
a. Como rayos, que representan a jorobados, bailan ante altares.
b. Torcidos, que representan rayos, bailan ante altares.

4. Acompañados por un tambor hecho del caparazón de una tortuga, asociada con el mar.

Tambor hecho de:
a. El cuerpo de una tortuga, por su relación con el mar.
b. La cubierta dura de la tortuga, por su relación con el mar.

5. En ocasiones se ponen máscaras hechas de guajes secos en un lado de sus cabezas.

Máscaras hechas de:
a. Frutos con forma de calabaza.
b. Frutos secos con forma de calabaza.

6. Al día siguiente arrojan los objetos utilizados en el ritual a un arroyo.

Arrojan los objetos utilizados en:
a. La celebración que siempre realizan de la misma forma a una pequeña corriente de agua.
b. La celebración que siempre realizan de la misma forma a la corriente de agua de un río.

7. Simbolizando el arroyo de las almas a la tierra de los muertos.

a. Representando una corriente de espíritus que va de regreso a la tierra de los muertos.
b. Representando un espíritu que va de regreso a la tierra de los muertos.

Mi diccionario

Registra en tu cuaderno las palabras que investigaste y su significado.

Identifica las palabras de la celebración del Día de Muertos. Escribe "S" para indicar los sustantivos, "A" para los adjetivos y "V" para los verbos.

Los tepehuas	Sustantivos	Adjetivos	Verbos
Ponen **altares**.			
Usan máscaras.			
Máscaras de guajes **secos**.			
Bailan **disfrazados**.			
Tocan un tambor.			
Los Ancianos **escoltan**...			
Escoltan a las **almas**.			
Usan **disfraces**.			
Representan a los Ancianos.			
Usan palos **encorvados**.			
Viven en **Pisaflores**.			

Observa la fotografía de un altar de muertos y descríbela para el grupo.

● ¿Qué cosas hay?, ¿cómo son?, ¿para qué o por qué las pusieron ahí?

Escribe por qué te gustan o no las celebraciones del Día de Muertos.

_____

_____

_____

_____

_____

_____ .

Los instructivos

Platica con tu grupo para qué serviría elaborar un tambor parecido a los que usan los tepehuas en su baile y qué materiales usarías.

Elabora con tu equipo un plan para escribir el instructivo del tambor.

Completa lo que falta:

Tipo de texto: Instructivo.
Tema: Elaboración de un tambor.
Objetivo (¿Para qué lo escribirás?):

_____

Destinatario (¿Quién va a utilizarlo?):

_____

Escribe con tu equipo el objetivo y la lista de materiales que vas a incluir en el instructivo.

Objetivo: _____
Materiales:
a. Lo que usarás en lugar del caparazón de tortuga: una caja de

cartón, de madera, de metal. _____

_____

b. Con qué lo formarás: pegamento blanco, cinta adhesiva, cordón.

_____

c. Lo que usarás para golpearlo y que suene: una varita, un palo

con algo amarrado en una punta. _____

_____

Observa el ejemplo.

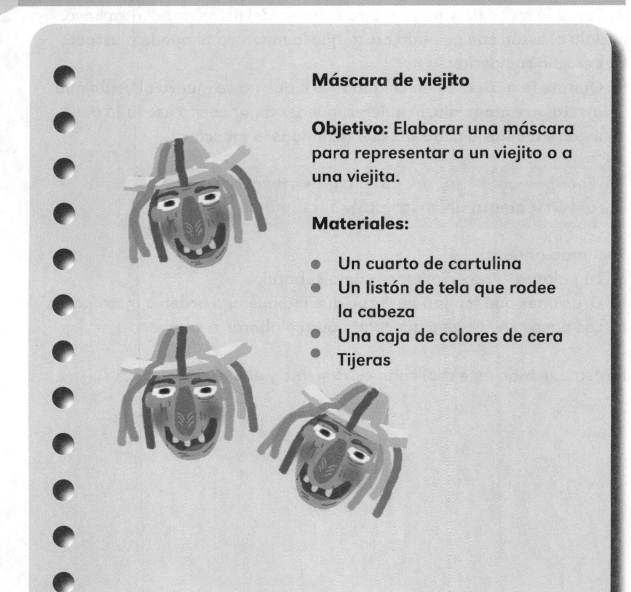

Máscara de viejito

Objetivo: Elaborar una máscara para representar a un viejito o a una viejita.

Materiales:

- Un cuarto de cartulina
- Un listón de tela que rodee la cabeza
- Una caja de colores de cera
- Tijeras

Lee con un compañero el siguiente ejemplo de procedimiento y subraya las palabras que indican orden o instrucción.

Procedimiento

1. Dibuja un óvalo del tamaño de tu cara en el cuarto de cartulina.
2. Marca los espacios para los ojos, la nariz y la boca, y recórtalos.
3. Traza líneas cafés o negras en la frente y en las mejillas para que se parezcan a las arrugas de los viejitos.
4. Colorea la máscara.
5. Haz un pequeño hoyo en cada lado de la máscara.
6. Pasa un extremo del listón por uno de los hoyos.
7. Ponte la máscara y pasa el otro extremo del listón por el otro hoyo.
8. Jala el listón con cuidado hasta que la máscara te quede ajustada, pero sin romperla.
9. Quítate la máscara con cuidado para que no se mueva el listón que ajustaste y amárralo. Si quieres, puedes dejar suelto ese lado del listón y ajustarlo cada vez que te pongas la máscara.

Escribe con tu equipo, en tu cuaderno, el borrador del procedimiento del instructivo del tambor.

Recuerda anotar:
a. La palabra "Procedimiento" como subtítulo.
b. Oraciones que tengan un verbo que indique una orden o instrucción.
c. Los pasos en el orden adecuado para elaborar el tambor.

Revisa que todo esté explicado claramente y en orden.

La versión final del instructivo del tambor

Intercambia tu borrador del procedimiento con otro equipo. Revisa el de tus compañeros y diles cómo pueden mejorarlo.

Fíjate que:

a. El procedimiento se entienda.

b. Las instrucciones estén completas y en orden.

c. Usen las mayúsculas donde deben ir.

d. La puntuación sea correcta.

Dibuja el tambor que resultará al seguir el instructivo.

Integra en una hoja el dibujo y todas las partes del instructivo ya corregidas: título, objetivo, materiales y procedimiento.

Muéstrales a tus destinatarios el instructivo de tu tambor.

Mi bitácora de escritor

Un animal curioso

Platica con el grupo sobre las lagartijas.

- ¿Cómo son?, ¿en dónde viven?, ¿quiénes son sus enemigos?, ¿cómo se defienden?

Lee el siguiente texto informativo.

El comportamiento de las lagartijas

Las lagartijas mueven la cola para evitar que los ataques de sus enemigos se dirijan a partes importantes de su cuerpo, como la cabeza o el tronco. Pero lo más asombroso es que incluso llegan a desprenderse de ella.

Éste es un comportamiento de defensa que les protege la vida. La cola desprendida sigue moviéndose durante un tiempo, lo cual distrae al atacante y permite que la lagartija huya. Pierde la cola pero no la vida. Además, ésta puede volver a crecer.

Comenta las respuestas con el grupo.

- ¿Por qué son asombrosas las lagartijas?
- ¿Por qué la cabeza y el tronco de las lagartijas son más importantes que la cola?

Reúnete con dos compañeros y diles de qué crees que se va a tratar el mito *La cola de las lagartijas* y para qué lo vas a leer.

Acuerda con tu equipo quién va a empezar y, por turnos, cada quien lea una página hasta terminar el mito.

Comenta con el grupo las respuestas de las siguientes preguntas.

- ¿El texto se trató de lo que tú creías?
- ¿Cumpliste tu propósito de lectura?, ¿por qué?

Escribe el nombre del personaje que tiene las características que se mencionan.

Características para defenderse de los hombres	Nombre del animal
Son hábiles para trepar a los árboles y gritan muy fuerte.	
Tienen largos colmillos y andan en grupo.	
Tienen cuatro colmillos y un rugido que da miedo.	
Dejan su cola y huyen.	

Comenta con tu equipo las respuestas a las siguientes preguntas y escríbelas.

1. ¿Crees que perseguir a las lagartijas, pegarles y cortarles la cola es

    algo indebido? _____ ¿Por qué? _____

    _____

2. ¿Lo que el Señor del Monte les concedió a las lagartijas es suficiente

    para que se defiendan de los hombres? _____ ¿Por qué?_____

    _____

    _____

Comparte con el grupo las respuestas que escribieron en el equipo.

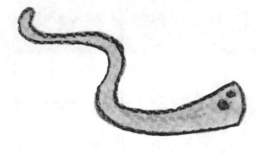

Mi historia lectora

Realidad o fantasía

Reúnete con un compañero y discutan si lo que dice cada oración es real o fantástico. Escribe "R" (real) o "F" (fantástico) según corresponda.

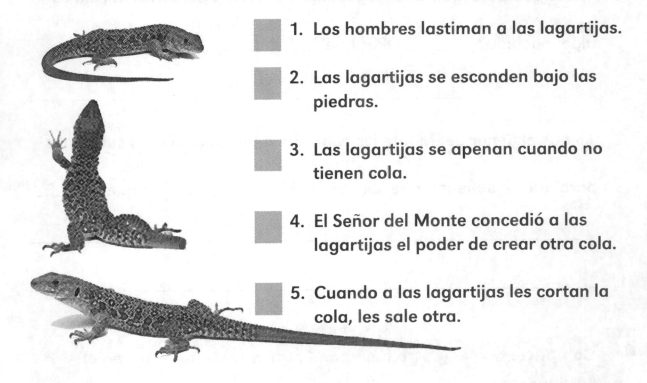

1. Los hombres lastiman a las lagartijas.

2. Las lagartijas se esconden bajo las piedras.

3. Las lagartijas se apenan cuando no tienen cola.

4. El Señor del Monte concedió a las lagartijas el poder de crear otra cola.

5. Cuando a las lagartijas les cortan la cola, les sale otra.

● **Comparen sus respuestas**

Completa la siguiente oración con la ayuda del grupo y la guía del maestro.

En el mito que leíste se explica _____

_____ , a partir de que un ser

sobrehumano les otorgó ese poder.

Lee el texto a tus familiares y pregúntales su opinión sobre lo que algunas personas les hacen a las lagartijas.

Crucigrama de animales

Lee cada descripción de la siguiente página, fíjate en el número que tiene y si su posición es vertical (↓) u horizontal (→). Escribe el nombre del animal al que se refiere, en el espacio correspondiente del crucigrama.

Verticales

1. Animal que desprende su cola para defenderse de sus atacantes.
2. Ave muy pequeña que mueve sus alas a gran velocidad y es capaz de volar en reversa.
3. Animal parecido al cerdo, tiene largos colmillos y anda en grupo.

Horizontales

4. Animal que es muy hábil para trepar a los árboles y grita muy fuerte para espantar a sus enemigos.
5. Insecto que tiene alas de varios colores, por las que se le considera hermoso.
6. Animal grande y fuerte, parecido al tigre, tiene cuatro potentes colmillos y ruge con gran fuerza.
7. Animal de cuerpo corto y sin cola, tiene potentes patas traseras que le permiten saltar.

Intercambia tu libro con un compañero para que comparen las palabras que escribieron.

Hagamos un cartel

Reúnete con dos compañeros y discutan las respuestas a las siguientes preguntas.

- ¿Los animales sienten dolor cuando los lastimamos?, ¿por qué?
- ¿Podemos maltratar a otros seres vivos?, ¿por qué?
- ¿Qué podemos hacer para proteger a las lagartijas de los abusos de las personas?

Planea con tu equipo cómo hacer un cartel para proteger a las lagartijas. Dibuja un primer borrador.

Revisa si el cartel dice:

- Para qué es.
- Por qué las personas debemos hacer eso.

En una cartulina, elabora con tu equipo un segundo borrador del cartel. Pidan a otro equipo que les ayude a revisarlo, usando la siguiente tabla.

Es atractivo	Tiene textos cortos y claros	Los dibujos son adecuados y coloridos	El tamaño de dibujos y letras es adecuado	Tiene buena ortografía y puntuación adecuada

Sugerencias para mejorar:

_____

_____

_____

_____

Elabora con tu equipo la versión final del cartel. Pégalo en el lugar que el maestro indique.

La leyenda del maíz

Platica con el grupo lo que sabes de las leyendas.

- ¿Quiénes inventaron las leyendas?
- ¿Para qué las inventaron?
- ¿Quiénes las contaban?
- ¿Cómo nos llegan a nosotros esas historias?

Lee el título y observa las imágenes de *La leyenda del maíz* en tu *Libro de lectura* para que escribas las respuestas.

- ¿Qué historia crees que contará?
- ¿Con qué propósito la leerás?

Libro de lectura

Escucha y sigue en tu libro la lectura que hará tu maestro.

Escribe los números que indiquen el orden en que se cuenta la leyenda.

Después de leer *La leyenda del maíz* comenta con el grupo.

Mi historia lectora

- ¿La historia que se cuenta es la que esperabas?
- ¿Se cumplió tu propósito al leerla?

Palabras en la leyenda

Busca y comenta con el grupo el significado de las palabras.

- Chía, chicalote y bledos.
- Así como otras palabras que no hayas entendido al leer.

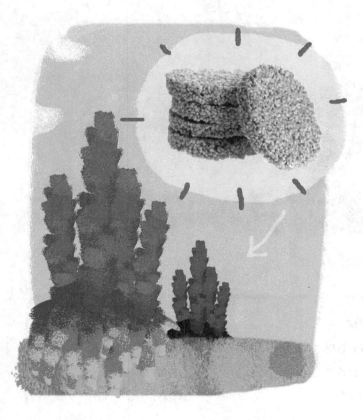

Dulce de amaranto o...

Limonada con...

Medicina tradicional de...

Escribe palabras que tengan letras parecidas a las siguientes.

Ejemplo. Amaranto: amar, amarás, amaré, mar, llanto, canto.

chicalote: _____

llevar: _____

Comenta con el grupo qué letras cambiaron en las palabras que apuntaste. Subraya en cada lista de palabras las letras que son iguales.

hormiga	llevar	amarillo
hormigota	llevaron	amarillentos
hormiguita	llevarás	amarillos
hormiguero	llevaste	amarilla

Compara con un compañero las letras que subrayaste y corrige lo que sea necesario.

Escribe, a la derecha de las palabras, otras que se relacionen con su significado. Lee el ejemplo.

colores			
semillas			
comidas	leche	carne	huevos
familia			

Platica con el grupo cuáles palabras relacionaste con mayor facilidad.

Los signos de puntuación

Platica con tu equipo para qué sirven los signos de puntuación en la escritura.

Encierra en un círculo los signos que se repiten en todas las siguientes oraciones.

1. —¿Qué comerán los hombres de la tierra? ¡Andan buscando alimentos! —decían.
2. —¿Dónde encontraste los granos de maíz?
3. —Por favor, dímelo —insistió Quetzalcóatl.
4. —¡Schh!, ¡schhh!, es un secreto —respondió la hormiga.
5. —Por favor, hormiga roja, ¿no me acompañarías?
6. —Bueno, te acompaño —le dijo ella.

Comenta con el grupo para qué se utilizan los guiones.

Escribe qué preguntas registrarías en el diálogo de la leyenda para saber:

1. Cómo se van a alimentar los hombres.

_____

2. En dónde estaba escondido el maíz.

_____

3. Si la hormiga roja te podría acompañar.

_____

Lee para el grupo las preguntas que escribiste.

Al leerlas, deberás decir:

- Si escribiste el guion antes de la pregunta o no.
- Qué signos usaste para indicar que es una pregunta.

Escribe dos preguntas para saber cómo se prepara algún alimento con el maíz.

1. _____

2. _____

Dile al grupo en dónde pueden buscar las respuestas a las preguntas.

Para buscar respuestas

102

Investiga para responder tus preguntas sobre cómo se prepara algún alimento con maíz.

1. Platica con el maestro dónde buscarás la información.
2. Acude a las fuentes de información con apoyo del maestro.
3. Localiza en el índice lo que quieres encontrar o escribe los datos en el buscador de internet.
4. Lee y toma nota de lo que consideres importante al consultar las fuentes.

Planea el tema que vas a exponer a partir de la información que encontraste.

Propósito (lo que quieres lograr con tu exposición):

_____

_____

Tema (lo que investigaste):

_____

_____

Destinatarios (a quién va dirigida la exposición):

_____

_____

Orden de ideas:

a. Qué dirás primero: _____

_____

b. Qué dirás después: _____

_____

c. Cómo terminarás la exposición: _____

_____

Lee tu plan a un compañero para que te ayude a mejorarlo. Modifica lo necesario y ensaya tu exposición.

Elabora con el maestro el programa de las presentaciones y prepárate para la fecha en que te toque exponer tu tema.

Mi bitácora de escritor

3

Bimestre III

BIII

Las coplas

Comenta con el grupo qué sientes cuando ves algo muy bello en la naturaleza. Por ejemplo: las estrellas, el mar, un ave.

- ¿Te dan ganas de cantar?, ¿se te pone la piel "chinita"?, ¿quisieras tomarle una foto o hacerle una pintura?
- ¿Por qué crees que te pasa eso?

Libro de lectura

Coplas de animales

Lee el texto _Coplas de animales_. Escribe lo que se te pide.

1. ¿De qué crees que se va a tratar? _____

_____ .

2. ¿Para qué las leerías? _____

_____ .

Comenta con el grupo.

- ¿El texto se trató de lo que tú creías?
- ¿Cumpliste tu propósito de lectura?, ¿por qué?
- De acuerdo con lo que leíste, ¿qué es una copla?

Reúnete con un compañero para contestar las siguientes preguntas. Encierra con color rojo la respuesta correcta.

1. ¿De qué tipo de animales se habla en todas las coplas que leíste?

   De guajolotes. De palomas. De aves.

2. ¿De qué habla la copla del tecolote?

   De sus costumbres. De su color. De su tamaño.

3. ¿De cuál ave se habla en dos coplas?

   De las palomas. De los cardenales. De las calandrias.

Comenta con tu compañero las respuestas de las siguientes preguntas y luego escríbelas.

1. ¿Por qué crees que los autores escribieron esas coplas?

   _____ .

2. Las coplas que leíste son coplas populares. ¿Por qué se llamarán así?

   _____ .

Mi diccionario

Busca y escribe la palabra **popular** y su significado.

Compara tus respuestas con las respuestas del grupo y corrige lo que sea necesario.

Mi historia lectora

La rima en las coplas

Anota cuántos versos tiene cada copla.

Se hacen chiquitos,
se hacen grandotes;
hacen la rueda
los guajolotes.

Tiene _____ versos.

En la cumbre de un cordón
cantaban tres animales,
uno parecía gorrión
y los otros cardenales;
¡ay!, qué parecidos son,
pero nunca son iguales.

Volaron las amarillas
calandrias de los nopales;
ahora cantarán alegres
los pájaros cardenales.

Tiene _____ versos.

Tiene _____ versos.

Comenta con el grupo qué es la rima.

- ¿Cómo sabes que dos versos riman?
- ¿Por qué es importante que en las coplas haya versos que rimen?

Subraya con color rojo los versos que riman en cada una de las coplas anteriores.

● **Pídele a un compañero que te ayude a revisar y corregir lo que subrayaste.**

108

Un buen observador

Observa las aves que hay en el lugar donde vives.

1. ¿Cómo es la que más te gusta? _____

_____ .

2. ¿Qué hace? _____

_____ .

3. ¿Qué costumbres tiene? _____

_____ .

Dibuja el ave que más te gusta. Incluye los detalles que observaste, destaca el que más te llama la atención.

El detalle que más te llama la atención es el tema que tomarás en cuenta para escribir una copla de esa ave. Anótalo.

El tema que voy a tratar es _____ .

Escribe cuatro versos que se refieran a ese tema.

Puedes retomar alguna de las coplas que leíste y cambiar el nombre del ave y las costumbres o características que observaste de ella.
Por ejemplo:

Si buscas al tecolote,
en el monte lo has de hallar;
al paso de media noche
empieza a cucurruquear.

Si buscas al colibrí,
en el aire lo has de hallar,
buscando las ricas flores
que muy pronto va a probar.

Escribe tu copla.

Intercambia tu libro con un compañero para que te ayude a mejorar tu copla.

110

El sujeto de la oración

Comenta con el grupo lo que recuerdes acerca de las oraciones y la parte llamada "sujeto" de la oración.

- ¿Qué puedes expresar mediante oraciones?
- ¿Por qué es importante identificar el sujeto en las oraciones?

Encierra con color rojo el sujeto en cada una de las siguientes oraciones.

- Se hacen chiquitos los guajolotes.
- Volaron los amarillos canarios de los nopales.
- En la cumbre de un cordón cantaban tres animales.
- En medio del árbol canta el pájaro.
- Ahora cantan muy alegres los pájaros cardenales.
- Todas las palomitas juntan sus piquitos.

Comenta con el grupo las respuestas de las siguientes preguntas.

- ¿Normalmente ordenas las palabras de las oraciones de la misma manera que las que analizaste?
- ¿Por qué los autores de poemas y de coplas ordenan de otra manera las palabras en las oraciones?

Revisa nuevamente la copla que estás escribiendo.

- ¿Te gusta cómo ordenaste las palabras en los versos o quieres cambiar el orden?
- ¿Hay rima entre los versos 2 y 4?
- Si no lo lograste, ¿qué tendrías que hacer para que rimen?

Pídele al maestro o a un compañero que lea tu copla y te diga cómo puedes mejorarla.

¿A quién le regalarás la copla que escribiste?
Pasa en limpio tu copla en una hoja y haz un dibujo para ilustrarla. Entrégala a quien hayas decidido regalársela.

Mi bitácora de escritor

Dos mapaches

Comenta con el grupo tus respuestas.

- ¿Qué juegos de palabras conoces?
- ¿Cómo son esos juegos?
- ¿Qué son los mapaches?
- ¿De qué crees que tratará el juego de palabras *Dos mapaches*?
- ¿Para qué lo leerás?

Libro de lectura

Usa el índice de tu *Libro de lectura* para encontrar el juego de palabras *Dos mapaches* y léelo en silencio.

Escribe las respuestas de las siguientes preguntas sobre el texto escrito en español de tu *Libro de lectura*.

1. ¿De qué o de quién se habla en el juego?

_____

2. ¿Qué se dice?

_____

3. ¿Qué palabras no entendiste?

_____

114

Compara con tu equipo las respuestas que anotaste en la actividad anterior.

Traza una línea para unir cada palabra con su significado.

dos mapaches

dos tlacuaches

dos cachivaches

dos baches

Busca en el diccionario las palabras que no conozcas.

Mi diccionario

Anota en el cuaderno, bajo la letra correspondiente, las palabras que buscaste y su significado.

Compara tu trabajo con el del grupo.

Mi historia lectora

El trabalenguas en otra lengua y en español

Lee con un compañero el mismo juego escrito en lengua huave.

Conversa con el grupo sobre lo escrito en huave.

- ¿Entendiste lo que dice el texto escrito en lengua huave?
- ¿Fue fácil o difícil leerlo?
- ¿Qué diferencia hay entre la cantidad de renglones del texto en huave y el escrito en español?
- ¿La cantidad de palabras del texto en huave es igual que las escritas en español?

Encierra en un círculo las letras del huave que uses poco en español. Compara tu trabajo con el del grupo.

Colorea las imágenes que tienen en sus nombres las sílabas "güe" o "güi".

Comenta con el grupo. ¿Para qué se ponen los dos puntos (¨) sobre la "u"?

Completa la siguiente oración.

Para que la "u" de las sílabas "gue", "gui" suene, se escriben

_____ sobre la "u".

Rima en los trabalenguas

Platica con tu equipo sobre las rimas.

- ¿Cuándo riman dos o más palabras?
- Señala dos palabras que rimen con mapaches.

Subraya las terminaciones iguales.

Dos mapaches, no tlacuaches, andaban entre baches,
al corral llegaron sin huaraches.
Al corral llegaron dos mapaches
buscando comida hasta en los cachivaches.

Los mapaches

Los mapaches tienen la piel oscura alrededor de los ojos como si fueran ojeras o un antifaz. En la cola tienen colores claros y oscuros en franjas como anillos. Su pelo es de color gris, rojizo o negro.

Los mapaches producen varios sonidos, silban, ronronean, rugen, gritan, gruñen y hasta relinchan. Son animales nocturnos, pues a esas horas es cuando están más activos buscando comida en las ciudades y el campo.

El nombre científico del mapache es *Procyon lotor,* que significa "lavador"; se le puso así porque muchas veces se le ve usando sus patas delanteras como si fueran manos, lavando su comida en el agua.

Se puede saber que hay un mapache cerca si se ven sus huellas, parecidas a las de una mano humana.

119

Escribe con un compañero sustantivos que rimen con los de la primera columna para hacer un trabalenguas.

cola		
ojeras		
anillos		

Completa los siguientes trabalenguas con tu equipo. Usa algunos sustantivos de los que anotaste.

Un mapache metió la cola en una _____ .

En una _____ un mapache metió la _____ .

Con sus ojos como con ojeras asustó a dos _____ .

A dos _____ asustó con sus ojos como con _____ .

Los anillos de su cola parecen _____ .

_____ parecen los _____ de su _____ .

● **Lee para el grupo los trabalenguas que inventaste con tu equipo.**

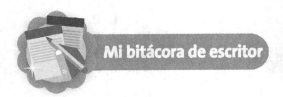

Mi bitácora de escritor

Dos mapaches, no tlacuaches...

Platica con el grupo sobre las imágenes de arriba.

- ¿Cuáles son los mapaches y cuáles los tlacuaches?
- ¿En qué se parecen?
- ¿Qué diferencias observas?
- ¿A qué otro animal se parece el tlacuache?
- ¿Crees que al ver a los dos animales vivos en algún lugar será fácil o difícil distinguirlos?, ¿por qué?

Lee con un compañero la siguiente información sobre los tlacuaches.

Los tlacuaches

Los tlacuaches pueden llegar a medir lo mismo que un gato de casa. Tienen un hocico largo y puntiagudo con dientes y colmillos muy filosos; su nariz no tiene pelo, pero sí tiene bigotes. La cola es tan larga que mide más que su cuerpo, es áspera y la utilizan para colgarse.

Sus pequeñas patas se parecen a las manos humanas, pero con garras; y su pelo puede ser desde oscuro rojizo o negro hasta blanco casi gris.

Los tlacuaches acostumbran comer de todo, frutas, aves de corral y hasta desperdicios, por eso buscan estar cerca del hombre y de lugares donde haya comida, como coladeras, casas y escuelas.

Son grandes actores: cuando la vida de los tlacuaches está en peligro se tiran al suelo con los ojos en blanco y la lengua colgando para hacerse los muertos, así en cuanto su agresor deja de atacarlos escapan rápidamente.

Texto elaborado por las autoras con base en la consulta en http://bit.ly/1qboh5U

Responde con el grupo y la guía del maestro las siguientes preguntas.

- ¿Qué información del texto dice lo mismo o algo diferente de lo que habías platicado con el grupo sobre los tlacuaches?

- ¿Por qué el autor del trabalenguas dirá "Dos mapaches, no tlacuaches..."?

- ¿Qué costumbres de los mapaches consideró el autor para decir que "andaban entre baches"?

- ¿Por qué el autor dirá que los mapaches "al corral llegaron sin huaraches?

- ¿Qué información conocería el autor para decir que "Al corral llegaron dos mapaches buscando comida hasta en los cachivaches"?

Memoriza el trabalenguas y díselo a un compañero sin equivocarte.

¡Ropa usada que vendaaaan!

Comenta con tus compañeros si por tu casa pasan compradores de cosas usadas.

- ¿Cómo se anuncian?
- ¿Qué compran?
- ¿Qué crees que hacen con lo que compran?
- ¿Crees que es un oficio nuevo o es un oficio antiguo?

Libro de lectura

El ropavejero

Lee y aprende la canción *El ropavejero* para que la cantes con tus compañeros y, en casa, con tus familiares.

Conversa sobre la canción que leíste.

- ¿De qué personaje se habla en la canción?
- ¿Qué hace ese personaje?
- ¿Qué objetos dice que compra?
- ¿Qué personas dice que compra?
- ¿Crees que un ropavejero puede comprar personas?
- ¿Por qué dirá que se compran esas personas?

Dibuja al ropavejero comprando algo de lo que dice en la canción.

Muestra tu dibujo a tus compañeros y canta la canción con ellos y con el maestro. Después, en casa, cántala con tus familiares.

Escribe el significado de las palabras **pregonar**, **chamuscado** y **cuatrapeado**.

Un oficio muy antiguo

Reúnete con dos compañeros y cada uno comente sobre algún oficio que conozca.

- ¿Cómo se llama ese oficio?
- ¿Qué hacen las personas que se dedican a ese oficio?
- ¿Por qué es útil ese oficio para la comunidad?

Escribe los nombres de los oficios que comentaron en el equipo.

_____

_____

_____

Lee y comenta con tu equipo.

El ropavejero

"Sombreros, botellas, ropa usada que vendan", así pregonaban antiguamente los ropavejeros, mientras recorrían a pie las calles de una ciudad, con un costal al hombro, en el cual iban recolectando ropa usada y viejos utensilios que la gente vendía por unos cuantos pesos.

Así, lo que ya no les servían a unos, era útil a otros, que compraban la mercancía a un bajo precio. En la acción de compra-venta, el ropavejero obtenía una ganancia, lo que hacía provechoso su negocio.

Las mamás y las abuelitas de esos tiempos acostumbraban asustar a los niños, diciéndoles que si no se portaban bien, se los iba a llevar "el tlacuache" o el ropavejero en su gran costal.

En la actualidad aún se puede encontrar a algún ropavejero, aunque ahora realiza su labor en una camioneta y el tipo de utensilios que compra son estufas, lavadoras, refrigeradores u otros artículos que las amas de casa quieren vender cuando ya no les son de utilidad.

Escribe lo que se indica.

Un pregón del ropavejero antiguo.	Un pregón del ropavejero de la canción.	Un pregón del ropavejero actual.

Una estrofa de la canción que podría causar en los niños temor hacia el ropavejero.	Un párrafo en el que se diga la razón por la que los niños de antes le temían al ropavejero.

Pide a un compañero que te ayude a revisar tu trabajo y corrige lo que sea necesario.

Las palabras de la canción

Escribe los adjetivos que se usaron en *El ropavejero* para decir cómo son las cosas y personas que se mencionan.

Sustantivos	Adjetivos
ciudad	
zapatos	
sombreros	
pantalones	
chamacos	
periódicos	
tiliches	
trebejos	
comadres	
cotorras	
viejas	

Encierra en un círculo rojo las acciones que realiza el personaje de la canción *El ropavejero.*

sueña	pregona	cambia	siente	carga
regaña	viene	compra	vende	llora

1. ¿Qué clase de palabras son las que mencionan las acciones del

ropavejero? _____

 Compara los adjetivos y los verbos que escribiste con los que anotó el grupo.

Mi pregón

Para representar ante el grupo el papel de ropavejero, escribe el pregón que dirás para que te vendan sus juguetes usados.

_____

_____

_____

Revisa el texto que escribiste.

- ¿Se entiende qué es lo que deseas comprar?
- ¿Riman las palabras finales de los versos?
- ¿Usaste adjetivos para decir cómo es lo que deseas comprar?
- ¿Escribiste mayúscula al inicio y después de un punto?
- ¿Usaste signos de admiración en donde se necesitan?
- ¿Están bien escritas todas las palabras?

Corrige lo que sea necesario y pasa en limpio tu pregón. Léelo en voz alta para tus compañeros actuando como ropavejera.

_____

_____

_____

_____

Mi bitácora de escritor

Mi pueblo se llama San Agustín

Explica a tus compañeros el significado de las siguientes palabras; si no las conoces, búscalas en el diccionario.

pueblo

papel amate

faena

amor

milpa

Libro de lectura

Localiza *Mi pueblo se llama San Agustín* y comenta con un compañero las imágenes.

Escribe de qué te imaginas que tratará *Mi pueblo se llama San Agustín.*

Me imagino que el texto tratará de:

_____

_____

_____

Registra de qué información te gustaría enterarte al leer *Mi pueblo se llama San Agustín.*

Me gustaría encontrar información de:

_____

_____

_____

Lee y comenta con un compañero *Mi pueblo se llama San Agustín.*

Platica con el grupo lo que opinas sobre la manera en que ven el tiempo los habitantes de San Agustín. Dile al maestro si al leer el texto encontraste lo que querías y si lo que imaginaste que trataría se cumplió.

Escribe por qué te gustaría o no vivir como la gente de San Agustín.

_____

_____

_____

_____

Los significados del texto

Con la guía del maestro y el apoyo del grupo responde las siguientes preguntas. Si es necesario, consulta el texto con sus imágenes.

- ¿En dónde dice el nombre del pueblo, aparte del título?
- ¿Qué significa lo que dice enseguida de "San Agustín", arriba de la primera imagen del pueblo?
- ¿Cuáles son los tiempos distintos que tienen en San Agustín?
- ¿Qué significa "cuando el tiempo se hace demasiado grande"?
- ¿Qué celebran en San Agustín cuando el tiempo se hace demasiado grande?
- ¿Qué opinas de lo que platican las ilustraciones del texto?

Anota el tiempo al que corresponde cada imagen del texto.

Tiempo para: Tiempo para: Tiempo para:

_____   _____   _____

 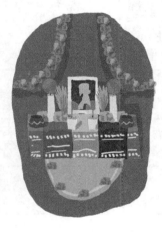 

Tiempo para: Tiempo para: Tiempo para:

_____   _____   _____

Compara con el grupo los tiempos que anotaste en la actividad anterior.

Dile al grupo los mensajes escondidos que hallaste en las imágenes del texto y su significado.

Las palabras en *Mi pueblo se llama San Agustín*

Busca en el texto la palabra "Gro.", escribe lo que significa.

_____

Comenta con dos compañeros el significado de Gro.

- Escribe quién es Abraham Mauricio Salazar.
- Lee para el grupo lo que escribiste.

Busca en el texto el nombre de Abraham Mauricio Salazar. Anota en dónde aparece y cuántas veces se repite.

El nombre aparece en: _____

_____ .

El nombre se repite _____ veces.

Platica con el grupo por qué en el texto se menciona tantas veces el nombre de Salazar.

de ma sia do
reu ni dos
a quí

Comenta con un compañero en qué se parecen las palabras de cada columna.

vienen	vienen	aquí
vivos	muertos	que
veces	demasiado	quién
vamos	cuando	qué
van	acuerdo	
	tiempo	
	reunidos	
	también	
	pueblo	

Separa en sílabas las siguientes palabras.

vienen		vienen		aquí	
vivos		muertos		que	
veces		demasiado		quién	
vamos		cuando		qué	
van		acuerdo		qué	
van		tiempo		quién	
vamos		reunidos		que	
veces		también		aquí	
vivos		pueblo		San Agustín Oapan	
vienen		pueblo		Guerrero	

Compara con un compañero la separación en sílabas que anotaste.

Escribe las oraciones que te dictará el maestro. Recuerda usar mayúsculas en los nombres propios de personas, lugares y al inicio de una oración.

_____

_____

_____

Intercambia tu libro con un compañero y revisa las oraciones que escribió.

Expresiones de tiempo, parecidas y contrarias

137

Encierra en un círculo las expresiones que significan lo mismo que las de la primera columna. Lee el ejemplo.

El tiempo se hace grande.	(Tenemos mucho tiempo.)	Tenemos poco tiempo.
En ese tiempo nos bañamos.	Entonces nos bañamos.	Después nos bañamos.
Antes no teníamos agua.	En el pasado no teníamos agua.	Hoy no teníamos agua.
Ayer pintamos figuras de barro.	Hoy pintamos figuras de barro.	Antes de hoy pintamos figuras de barro.
Mañana vamos al monte.	Ahora mismo vamos al monte.	Al día siguiente vamos al monte.
El otro día nos reunimos a celebrar.	El día de mañana nos reunimos a celebrar.	Un día anterior nos reunimos a celebrar.

Marca con una ✓ la expresión que significa lo mismo o algo parecido a cada una de las anotadas en la primera columna.

Dejamos nuestras faenas.	☐ Dejamos nuestros trabajos.	☐ Dejamos nuestras faldas.
El tiempo se hace grande.	☐ El tiempo se pasa rápido.	☐ El tiempo se hace largo.
Nos vamos reunidos.	☐ Nos vamos unidos.	☐ Nos vamos separados.
Tenemos tiempo para imaginar.	☐ Tenemos tiempo para conocer.	☐ Tenemos tiempo para inventar.
Salimos al monte.	☐ Salimos a la montaña.	☐ Salimos a la calle.
Hacemos canastos.	☐ Hacemos cestos.	☐ Hacemos cacerolas.
Hacemos máscaras.	☐ Hacemos títeres.	☐ Hacemos caretas.

138

Compara tu trabajo con los de tus compañeros. Escribe lo contrario de las siguientes expresiones.

Tiempos que van.

_____

El tiempo de agua.

_____

Tiempos de muertos.

_____

El tiempo se hace grande.

_____

Nos vamos.

_____

Nos quedamos separados.

_____

Comenta con un compañero si es más fácil decir expresiones parecidas o decir expresiones contrarias y explica por qué.

Mi historia lectora

El caminante

Comenta con el grupo sobre las personas que viven en lugares muy alejados.

- ¿Cómo viajan a otras partes si no cuentan con vehículos?, ¿cómo consiguen sus alimentos?, ¿cómo se comunican con sus familiares que viven lejos?

Vas a leer un cuento que se titula el *El caminante*. Escribe lo que se te pide.

- ¿De qué crees que se va a tratar?_____

_____

- ¿Para qué lo vas a leer?_____

_____

Subraya la respuesta correcta de cada pregunta.

1. ¿Por qué el hombre estaba cansado y hambriento?
   a. Porque vivía lejos del pueblo a donde iba.
   b. Porque caminó muchas horas bajo el sol.
   c. Porque era flojo y no le gustaba caminar.

2. ¿Por qué el hombre pensó que en la casa que vio a lo lejos le darían comida?

   a. Porque creía que los dueños lo ayudarían.

   b. Porque sabía que ahí vivían unos parientes de él.

   c. Porque sabía que ahí vendían comida.

3. ¿Cuál fue el acuerdo que establecieron el hombre y la señora?

   a. Él comería y ella le daría de comer.

   b. Ella le daría una carta y el comería.

   c. Él leería una carta y ella le daría de comer.

4. ¿Crees que el hombre hizo bien en aceptar lo que la señora le pidió?

   a. Sí, porque así consiguió su comida.

   b. No, porque mintió.

   c. Sí, porque dijo la verdad.

141

Compara tus respuestas con las del grupo y corrige lo necesario.

Escribe por qué te gustó o por qué no te gustó el final del cuento.

_____

_____

_____

Mi historia lectora

¿Qué decía la carta?

Comenta con el grupo las respuestas de las siguientes preguntas.

- ¿Qué es una carta?, ¿para qué se escriben las cartas?, ¿cuáles son las partes de la carta y qué datos debe contener?

Reúnete con dos compañeros para formar un equipo.
Imaginen qué decía la carta del cuento *El caminante* y comenten sus ideas.

- ¿Creen que decía algo serio, algo chistoso o algo triste?
- ¿Quién la escribió?
- ¿Para qué la escribió?
- ¿Qué le decía?

Para escribir la carta que imaginaron, primero inventa y anota los siguientes datos.

El nombre de la señora a quien se va a dirigir la carta:

_____

El nombre de quien escribe la carta:

_____

Para qué escribe la carta:

_____

Escribe con ayuda de tu equipo el borrador de la carta en el siguiente formato.

Fecha: _____

Nombre del destinatario: _____

Saludo: _____

_____

Mensaje: _____

_____

_____

_____

_____

Despedida: _____

_____

Nombre o firma: _____

Pide a otro equipo que les ayude a revisar y corregir el borrador que escribieron.

Pasa en limpio la carta y luego intercámbiala con tus compañeros del grupo para que todos conozcan las cartas que escribieron.

Mi bitácora de escritor

Vamos a analizar el cuento

Lee las oraciones y luego ordénalas, de acuerdo con lo que pasó en el cuento.

El hombre le dijo a la señora que no sabía leer.   ☐

El hombre llegó a una casa y pidió agua y comida.   ☐

El hombre comió un plato de frijoles y tomó agua fresca.   ☐

Un hombre salió de su casa muy temprano y se puso a caminar.   ☐

El hombre y la señora hicieron un trato: ella le daría comida y él le leería una carta.   ☐

Describe cómo es el lugar donde se desarrolla el cuento.

El camino por donde va el caminante es _____

_____

_____ .

La casa a donde llega es _____

_____ .

Describe al personaje principal del cuento.

El hombre es _____

_____ .

Su vestimenta es _____ .

Su carácter es _____ .

Une con una línea los sucesos y la parte del cuento en la que ocurren.

Partes del cuento

Sucesos

Inicio

El hombre camina muchas horas. Pide comida en una casa. Y hace un trato para recibir comida a cambio de leer una carta.

Desarrollo

Un hombre tiene que viajar y sale muy temprano de su casa.

Final

La señora le entrega la carta al hombre para que la lea. El hombre dice que no sabe leer.

Intercambia tu libro con un compañero para que te ayude a revisar y corregir tu trabajo.

Los verbos del cuento

Comenta con el grupo las respuestas de las siguientes preguntas.

- ¿Lo que se narra en el cuento sucedió en el pasado, está sucediendo ahora, o sucederá mañana?
- ¿Cómo te diste cuenta de eso?

Encierra con color rojo las acciones que realiza el sujeto en cada una de las siguientes oraciones.

1. Un hombre tuvo necesidad de viajar.

2. El hombre caminó y caminó toda la mañana.

3. El hombre sentía mucha hambre y sed.

4. El hombre vio a lo lejos una casa.

5. El hombre tocó la puerta.

6. Una señora abrió la puerta.

7. La señora le sirvió un plato de frijoles.

Escribe las respuesta de las siguientes preguntas.

1. ¿Las acciones que realizaron el hombre y la señora ya pasaron o van a

suceder? _____ .

2. ¿Los cuentos que conoces se narran en pasado? _____ ¿Cómo lo

sabes? _____

_____ .

Cuando el hombre termine de comer, _____ la carta.

Le _____ tres vueltas. La _____ de cerca y de lejos.

Muy asustada la señora le _____ ¿Qué pasa?

¿Una mala noticia?

El hombre _____: "Sí, señora, una mala noticia. Fíjese que

yo tampoco sé leer".

Compara los verbos que escribiste con los que el maestro anotó en el pizarrón.

Bimestre IV

Las mentiras

Platica con tu grupo acerca de las mentiras.

- ¿Qué son las mentiras?
- ¿Por qué y para qué se dicen mentiras?
- ¿Piensas que las mentiras pueden creerse o no?, ¿por qué?
- ¿A quién piensas que le hacen daño las mentiras?
- ¿Crees que las mentiras pueden ser divertidas?, ¿por qué?
- ¿De qué crees que tratará el texto titulado *Las mentiras*?
- ¿Para qué lo leerás?

Libro de lectura

Localiza el texto *Las mentiras*, léelo y coméntalo con un compañero.

Contesta con un compañero las siguientes preguntas y compartan sus respuestas con los demás.

- ¿Qué mentiras cuenta el texto?
- ¿Cuáles de esas mentiras pueden hacerle daño a alguien?
- ¿Cuál mentira del texto te parece que nadie puede creer?
- ¿Por qué crees que el autor escribió mentiras en su texto?

Escribe tu opinión sobre _Las mentiras_.

_____

_____

_____

_____

_____

_____

Lee para el grupo tu opinión sobre el texto y escucha las opiniones de tus compañeros.

151

Mi historia lectora

Mentiras y verdades

Escribe una V para indicar si lo que dice la oración es verdad y una M para decir que es mentira.

1. Un árbol de durazno da duraznos. _____

2. Un golpe en un pie amarra las muelas. _____

3. Tirándole pedradas a un guayabo caen tejocotes. _____

4. Un durazno da guayabas. _____

5. Un golpe en el pie puede amarrar las muelas. _____

Explica al grupo tus respuestas.

Escribe la verdad que corresponda a cada verso de *Las mentiras*.

Mentiras	Verdades
Me encontré un duraznito cargadito de **guayabas**.	Me encontré un duraznito cargadito de _____.
Le tiré muchas pedradas y cayeron **tejocotes**.	Le tiré muchas pedradas y cayeron _____.
Vino el dueño **de las uvas** me aventó **un zapotazo**.	Vino el dueño _____ me aventó un _____.
Me pegaron en **un pie**, me amarraron las muelas.	Me pegaron en _____, me arrancaron las muelas.
Renuncio a **las ciruelas** que ni siquiera probé.	Renuncio a _____ que ni siquiera probé.

Lee las siguientes palabras, elige las que rimen y escríbelas para completar las oraciones con mentiras.

tractor	avión	colchón	tambor	trombón
futbol	salón	dragón	león	

Iba para la escuela y me subí a un _____

que me llevó nadando por un _____ .

Luego me metió en un _____

que sonaba como un _____ .

Al llegar al campo del _____

me encontré con un _____ .

Lee para el grupo las mentiras que escribiste y elige a quien compartírserlas para que se divierta.

154

Las palabras y su escritura

155

Escribe los nombres de las frutas en diminutivo y aumentativo. Observa el ejemplo.

Palabras	Diminutivos	Aumentativos
durazno	duraznito	duraznote
ciruela		
zapote		
manzana		
limón		
mango		
guayaba		

Escribe los nombres de las imágenes que al pronunciarlos lleven "g" suave.

_____

_____

_____

_____

_____

En grupo, piensen y digan algunas palabras que tengan "g" fuerte. Elige cinco y escríbelas.

_____

_____

_____

_____

Lee para el grupo las palabras que escribiste y escucha las de tus compañeros.

Las oraciones que decimos y escribimos

Subraya las oraciones que dicen lo mismo que las escritas en negritas.

1. Yo iba por un caminito.

a. Iba yo por un caminito.

b. Un caminito yo iba por.

c. Por un caminito iba yo.

d. Caminito por iba yo.

2. Me encontré un duraznito.

a. Un duraznito encontré me.

b. Me duraznito un encontré.

c. Un duraznito me encontré.

d. Me encontré duraznito un.

3. Vino el dueño de las uvas.

a. El dueño vino de las uvas.

b. De vino las uvas el dueño.

c. El dueño de las uvas vino.

d. Vino de las uvas el dueño.

Revisa tus respuestas con un compañero y marca el resultado en la siguiente tabla.

Oraciones	Marca con una ✓: Si subrayaste los incisos que corresponden con el significado de la oración en negritas Marca con una X: Si no subrayaste los incisos correctos:		
	Incisos correctos	Sí	No
1	a)		
	c)		
2	c)		
3	c)		

Ordena en distinta forma las palabras de los recuadros para escribir dos oraciones que signifiquen lo mismo.
Recuerda usar mayúscula al iniciar cada una.

1. escriben   y   se   anguila   águila   gu   con

_____.

2. con   escribe   qu   se   quetzal

_____.

3. jabalí   van   jaguar   y   j   con

_____.

Con un compañero analicen la manera en que cada uno escribió las oraciones.

Observa las imágenes y describe cada una con una oración.

Soñé _____

_____ .

Vi _____

_____ .

Lee para el grupo las descripciones que escribiste y di lo mismo ordenando las palabras de otra forma.

El mundo al revés

Comenta con el grupo acerca de las ilustraciones y escribe su nombre en cada una.

- ¿Qué sabes de cada uno de estos personajes?, ¿qué características tienen?

Une con una línea a cada personaje con la característica de la lista que mejor lo describa.

ladrón   manso   bueno   horrorosa   malo

Libro de lectura

161

Busca en tu *Libro de lectura* el poema *Un mundo al revés*. Antes de leerlo, responde las preguntas.

1. ¿De qué crees que tratará? _____

_____

2. ¿Para qué leerás el poema? _____

_____

Después de leerlo, escribe las respuestas a las siguientes preguntas.

1. ¿Por qué el poema se llama *Un mundo al revés*? _____

_____

2. ¿Por qué crees que el autor soñaba con un mundo al revés?

_____

_____

3. ¿Te gustó el poema? _____ ¿Por qué?_____

_____

Compara tus respuestas con las que escribieron tus compañeros.

Mi historia lectora

162

Palabras que significan lo opuesto

Escribe frente a cada adjetivo, otro que signifique lo contrario.

grande _____   malo _____

alta _____   adorable _____

frío _____   lenta _____

suave _____   alegre _____

horrorosa _____   cómoda _____

duro _____   manso _____

Dibuja los personajes que se piden y escribe un adjetivo que sea contrario a lo que todos sabemos de ellos, para que resulte algo gracioso.

Una princesa _____   Un monstruo _____

Completa las oraciones agregando un adjetivo y las acciones que realizan los personajes. Lo que escribas debe decir lo contrario de lo que, por lo general, sabemos de ellos.

1. Había una vez una princesa _____ que _____

_____ .

2. Érase una vez un ogro _____ que _____

_____ .

164

Intercambia tu libro con un compañero para que revise tu trabajo.

¿Cómo sería tu mundo al revés?

Piensa en los seres fantásticos que quisieras que fueran lo contrario de como son.

Lista de seres fantásticos que quisiera cambiar	Cómo son	Cómo quisiera que fueran

Cambia el poema *Un mundo al revés*, escribiendo los nombres de los seres fantásticos que desearías que fueran lo contrario de como son.

Un mundo al revés

Érase una vez

un _____

al que maltrataban

todos los _____ .

Y había también

un _____ ,

una _____

y un _____ .

Todas esas cosas
había una vez.
Cuando yo soñaba
un mundo al revés.

Lee tu poema para el grupo y escucha los que escribieron tus compañeros. Después, compártelo con tus familiares.

Mi bitácora de escritor

Femenino o masculino; singular o plural

Utiliza una de las siguientes palabras, antes del nombre que vas a escribir, debajo de cada imagen.

un   una   unos   unas

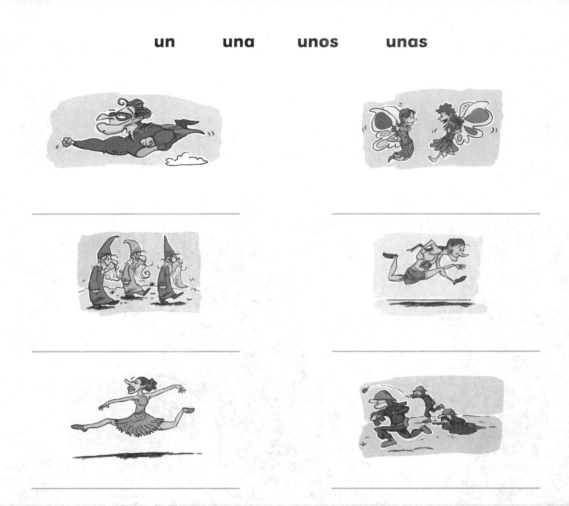

Subraya con rojo los nombres femeninos que escribiste y con azul los masculinos.

Encierra con color verde los nombres en singular y en café los que estén en plural.

Comenta con el maestro y con tus compañeros por qué es importante que concuerden el género y el número en las palabras que escribiste.

168

Oficios de un oficiero

Oficio (sustantivo masculino): Trabajo que requiere esfuerzo físico y habilidad manual.

Comenta con el grupo tus respuestas a las siguientes preguntas.

- ¿Qué es un oficio?
- ¿A qué oficios corresponden las imágenes de arriba?
- ¿De qué crees que tratará *Oficios de un oficiero*?

Libro de lectura

Oficios de un oficiero

122

Busca *Oficios de un oficiero* en el índice de tu libro, ubica la página donde se encuentra y léelo para que te diviertas.

Relaciona con una línea cada palabra en negritas con la imagen que representa su significado en *Oficios de un oficiero*.

"hace bombas el **bombero**"

"hace trovas el **trovero**"

"hace sones el **sonero**"

"hace plomos el **plomero**"

"hace potros el **potrero**"

"hace plumas el **plumero**"

Con la ayuda del maestro, anota en la sección correspondiente de tu cuaderno las palabras y los significados que conociste.

Respondan las preguntas en grupo después de leer *Oficios de un oficiero.*

- ¿Te gustó o no?, ¿por qué?
- ¿Fue fácil o difícil de leer?
- ¿Se trató de lo que creías?
- ¿Te sirvió para divertirte o no?

Mi historia lectora

Los oficios y los disparates

Escribe el nombre del oficio que corresponde a cada palabra y el del lugar en donde se hace ese trabajo.

	Oficios para hacer, reparar, repartir o vender	Lugares donde se realiza el oficio
zapato		
pan		
carne		
leche		
libro		

Marca con una ✔ los versos que creas que dicen disparates.

hace primos el primero,

hace trovas el trovero,

hace casas el casero,

hace cuentos el cuentero,

hace sombras el sombrero,

hace plomos el plomero,

hace bolas el bolero,

hace puertas el portero,

hace tintas el tintero,

hace sones el sonero,

hace cartas el cartero,

hace cuatros el cuatrero,

hace bombas el bombero,

hace potros el potrero,

hace plumas el plumero,

hace cantos el cantero,

hace locos el loquero

y agujas el agujero...

Escribe los verbos que indiquen lo que sí se hace en los siguientes oficios que no son disparates.

Oficios	Verbos
cartero	_____ cartas.
bolero	_____ zapatos.
plomero	_____ tuberías.
casero	_____ casas.
portero	_____ la entrada de edificios.

Elige un oficio y escribe un cartel para anunciar lo que sabes hacer. Recuerda que el mensaje debe ser claro para que las personas te den trabajo.

174

Caricaturas de los disparates

Platica con el grupo sobre las caricaturas que observaste.

- ¿Por qué son disparates?
- ¿Son graciosas?

Forma un equipo y planifica con tus compañeros cómo harán una caricatura.

Acuerda con tus compañeros el verso disparatado del que harán la caricatura.

- ¿Qué deben dibujar?
- ¿Qué deben escribir?

Acuerda con el maestro y con el grupo y escribe:

- ¿En dónde van a exhibir las caricaturas?
- ¿A quiénes invitarán a ver la exposición?

Elabora el borrador de la caricatura.

Pide al maestro que ayude al equipo a revisar el borrador de la caricatura y les dé sugerencias para mejorarla.

Mi bitácora de escritor

Invitación a la exposición

> Queridos padres de familia: nos daría mucho gusto contar con su asistencia a nuestra gran exposición de caricaturas disparatadas.

> La exposición se llevará a cabo el 1 de abril de 2015 a las 10 de la mañana. Por favor, no falten. El grupo "A" de segundo grado estará complacido con su asistencia.

Comenta con el grupo el contenido de la invitación y la forma en que se expresan los niños de la imagen.

Planifica con tu equipo lo que escribirán en sus invitaciones, tomando en cuenta las personas que decidieron invitar a su exposición.

Saludo	
Mensaje	
Fecha y hora	
Quién invita	
Expresiones para convencerlos	

Ensaya con tu equipo la invitación que harán. Recuerda que deben usar un lenguaje parecido al del ejemplo.

Pidan a otro equipo que dé su opinión para mejorar la invitación que están preparando.

Aspecto	Qué deben mejorar
Saludo	
Mensaje	
Fecha y hora	
Quién invita	
Expresiones para convencerlos	

Compartan sus invitaciones con el resto del grupo.

Los tres deseos

Platica con el grupo sobre los deseos.

- ¿Qué cosas has deseado para ti?
- ¿Qué has deseado para otras personas?
- ¿Quiénes cumplen deseos en los cuentos?
- ¿Qué crees que pueden desear los personajes del cuento de la imagen anterior?
- ¿Para qué vas leer el cuento *Los tres deseos*?

Libro de lectura

Busca el cuento en el índice de tu libro, localiza la página donde comienza y sigue la lectura que hará el maestro.

Comenta con el grupo las respuestas a las siguientes preguntas y escríbelas.

1. ¿Qué deseaban el hombre y la mujer de la historia?

_____

2. ¿Para qué se apareció el hada?

_____

3. ¿Por qué el matrimonio no sabía qué deseos pedir?

_____

4. ¿Cómo fue que el hombre y la mujer desperdiciaron los dos primeros deseos?

_____

Platica con un compañero tus opiniones sobre el último deseo de la mujer y la conclusión a la que llegó el matrimonio del cuento.

Mi historia lectora

180

Expresiones y su significado

joyas comida dinero salud salchicha

Relaciona con una línea cada expresión del cuento con su significado.

Expresiones	Significados
Había una vez un hombre que no tenía fortuna... se pusieron a hablar de sus vecinos que eran más ricos que ellos...	a. No tenía suerte. b. No tenía dinero.
Desapareció el hada y el matrimonio se quedó sumido en un mar de dudas.	a. Tenía dudas pero lo pensó y se metió al mar. b. Tenía muchas dudas y se quedó pensando.
No voy a formular ningún deseo todavía...	a. No voy a decir ningún deseo. b. No voy a querer ningún deseo.

...sería razonable desear alegría...	a. Estaría mal pensado desear alegría. b. Estaría bien pensado desear alegría.
El hada... debería habernos dejado una docena de dones.	a. Debería habernos dejado 12 deseos. b. Debería habernos dejado 10 deseos.
La mujer cogió las tenazas para avivar el fuego.	a. Movió el carbón para que el fuego prendiera más. b. Movió el carbón para que el fuego se apagara.
Me gustaría tener una enorme salchicha.	a. Deseaba tener una enorme salchicha. b. Preguntaba quién podría tener una enorme salchicha.
Me desesperas... ojalá tuvieras la salchicha pegada...	a. Tal vez tuvieras. b. Quisiera que tuvieras.
Te aseguro —decía el marido muy afligido— que lo he hecho sin querer.	a. Muy apenado. b. Muy alegre.
La mujer, que tenía sentido del humor, le dijo: hubiéramos sido más desgraciados volviéndonos ricos.	a. Aceptaba las cosas con alegría. b. Aceptaba las cosas con disgusto.

Escribe en las líneas quién dijo cada una de las expresiones siguientes.

—¡Ay, qué feliz sería yo	—dijo ———— —	si pudiera tener cuanto deseo...!
(Habla el personaje.)	(¿Quién lo dijo?)	(Sigue hablando el personaje.)

—¡Igual me pasaría a mí!	—dijo ————.	En ese mismo instante vieron aparecer...
(Habla el personaje.)	(¿Quién lo dijo?)	(El personaje no sigue hablando.)

—Bueno	— ———————— —,	pero eso no te libraría de...
(Habla el personaje.)	(¿Quién lo dijo?)	(Sigue hablando el personaje.)

—Pues que la salchicha caiga al suelo	———————— — .	Enseguida la salchicha cayó al suelo.
(Habla el personaje.)	(¿Quién lo dijo?)	(El personaje no sigue hablando.)

● **Revisa tu trabajo con un compañero y analicen cuándo se escribe entre guiones y coméntenlo.**

¡Era un sueño!

Inventa un cuento a partir de las imágenes y platícaselo a un compañero.

Decide con tu compañero qué palabras puedes escribir para completar el cuento inventado y anótalas.

¿Qué dirían los personajes en el cuadro 1?

El hombre: —¿Quién eres, hermosa _____?

El hada: —¡Soy un _____ , que les va a cumplir un _____ !

La mujer: —Por favor, ¿nos puedes cumplir _____ ? —dijo la mujer—. Yo sé

que eres muy buena y puedes _____ .

¿Qué dirían los personajes en el cuadro 2?

La mujer: —¡El hada me cumplió mi deseo de tener _____ ! —dijo

la mujer.

El hombre: —¡Pues a mí _____ ! —dijo el _____ .

¿Qué dirían los personajes en el cuadro 3?

La mujer: —¡Qué bueno que pedí _____ ! —dijo la mujer.

El hombre: —¡Sí, mujer, qué bueno que tenemos _____ !

—dijo el hombre— al fin podremos comer.

¿Qué diría el narrador en el cuadro 4?

Y así, el matrimonio siguió _____ que el hada les había

cumplido sus _____ _____ .

Intercambia tu libro con otro compañero para que te ayude a revisar y corregir las palabras que escribiste.

186

La puntuación del minicuento

Completa el siguiente minicuento con los signos de puntuación que le hacen falta: puntos, signos de admiración, de interrogación, guiones de diálogo y de comentario.

(Título) _____

1. Había una vez un hombre muy pobre que se había casado con una mujer muy bonita. Un día, estaban sentados conversando, cuando de pronto se les apareció una hermosa mujer.

2. —¿Quién eres, hermosa mujer? ___dijo el hombre.

3. —¡Soy un hada, que les va a cumplir un deseo___

4. ___Por favor, ___nos puedes cumplir dos? ___dijo la mujer___ . Yo sé que tú eres muy buena y puedes hacerlo___

En ese instante el hombre y la mujer se vieron vestidos elegantemente.

5. —¡El hada me cumplió mi deseo de tener joyas___ ___dijo la mujer___

6. —¡Pues a mí también___ ___dijo el hombre___

7. ___¡Qué bueno que pedí comida___ ___dijo la mujer___

8. ___¡Sí, mujer, qué bueno que tenemos alimentos___ ___dijo el hombre___ . Al fin podremos comer___

9. Y así, el matrimonio siguió soñando que el hada les había cumplido sus dos deseos___

Pídele al maestro que te ayude a revisar los signos que escribiste.

Escribe el texto en limpio, dáselo a leer a tus familiares y explícales qué fue lo que hiciste.

_____

_____

_____

_____

_____

_____

_____

_____

_____

_____

_____

_____

Mi bitácora de escritor

Sapo tiene miedo

Comenta con tu grupo acerca del miedo.

- ¿Qué cosas o situaciones te dan miedo?
- ¿Qué haces cuando sientes miedo?
- ¿Crees que el miedo se puede contagiar?, ¿por qué?

Libro de lectura

A continuación leerás un cuento que se titula *Sapo tiene miedo*. Contesta las preguntas.

189

1. ¿A qué crees que le tiene miedo Sapo? _____

_____

2. ¿Para qué vas a leer el cuento? _____

_____

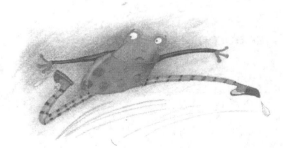

Escribe las respuestas a las siguientes preguntas.

1. ¿Por qué Sapo empezó a sentir miedo? _____

_____

2. ¿Cuál crees que era la causa de que se oyeran rasguños en el techo de

la casa de Pata? _____

_____

3. ¿Por qué razón Sapo y Pata llegaron jadeando a la casa de Cochinito?

_____

4. ¿Qué hicieron Sapo, Pata y Cochinito para darse ánimo?

_____

_____

5. ¿Cuál fue la causa de que Liebre sintiera miedo? _____

_____

6. ¿Qué diferencia hay entre el miedo que sintió Liebre y el miedo que

sintieron sus tres amigos? _____

_____

Señala con flechas el camino por el que corrió Sapo la noche que tuvo miedo.

Escribe si te gustó o no el cuento y por qué.

_____

_____

_____

Mi historia lectora

¿Cómo es un ser horripilante?

Dibuja lo que se indica en cada cuadro. Cuida que nadie vea lo que dibujas para que luego los sorprendas.

Un fantasma   Un monstruo

Muestra y describe tus dibujos a un compañero. Después platiquen a cuál de los dos le temerías más y por qué.

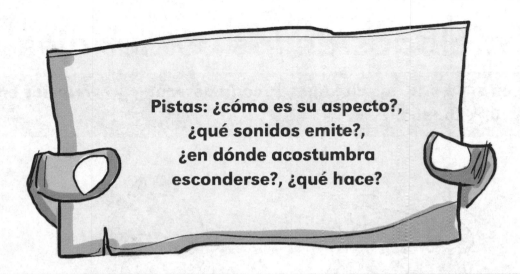

**Pistas: ¿cómo es su aspecto?,
¿qué sonidos emite?,
¿en dónde acostumbra
esconderse?, ¿qué hace?**

**Pide a tu compañero que evalúe la descripción y la explicación
que hiciste, utilizando el siguiente cuadro.**

Dijo más de tres características del aspecto de cada ser		Dio ideas completas y claras		Pronunció bien las palabras y con un volumen adecuado de voz		Explicó con claridad las razones por las que le daría miedo	
Sí	No	Sí	No	Sí	No	Sí	No

Observaciones:

_____

_____

_____

_____

Los diálogos de los personajes

Busca en el cuento dos diálogos de cada personaje y escríbelos en donde corresponde.

194

¿Qué signo de puntuación se usa para indicar que un personaje dice algo?

Busca en el cuento una oración que exprese cada uno de los siguientes aspectos y escríbela.

Gusto o agrado			
Susto o miedo			
Sorpresa			
Pregunta			

Contesta las siguientes preguntas.

1. ¿Qué signos se usan en las tres primeras oraciones del cuento?

_____

_____

2. ¿Qué signos se usan en la última oración del cuento?

_____

_____

Completa las oraciones.

1. Para expresar gusto, susto o sorpresa se usan los signos de _____

_____.

2. Para expresar preguntas se usan los signos de _____

_____.

• **Intercambia tu libro con un compañero para que te ayude a revisar y corregir tu trabajo.**

¡Vamos a representar el cuento al leerlo!

Forma un equipo con cuatro compañeros y acuerden.

- ¿Quién será el narrador?
- ¿Quién representará a cada uno de los cuatro personajes?
- ¿Cómo van a ensayar su actuación?
- ¿Qué necesitan para la representación?

Yo voy a representar a _____ y voy a necesitar _____

_____ .

Con la guía del maestro decidan en grupo:

- ¿Cuándo y dónde representarán el cuento?
- ¿En qué orden participarán los equipos?
- ¿A quién invitarán?

Escribe el borrador de la invitación para la representación del cuento.

_____

_____

_____

_____

Pídele a un compañero que te ayude a mejorar tu invitación.

Bimestre V

BV

La leyenda del fuego

Platica con tu grupo acerca de la utilidad que tiene el fuego para las personas.

Libro de lectura

Leerás un texto que se titula *La leyenda del fuego*. Escribe lo que se te pide.

1. ¿De qué crees que trata? _____

_____

2. ¿Para qué vas a leerlo? _____

_____

Después de leer *La leyenda del fuego*, subraya las respuestas correctas a las siguientes preguntas.

1. ¿Por qué para los huicholes las noches eran como terribles pesadillas?

    a. Porque eran frías.

    b. Porque eran oscuras.

    c. Porque eran largas.

2. ¿Por qué los vecinos de los huicholes aprisionaron el fuego?

    a. Porque le tenían miedo.

    b. Porque les parecía muy valioso.

    c. Porque no querían que se escapara.

3. ¿Quiénes ayudaron a los huicholes para que tuvieran el fuego?

    a. Los vecinos del lugar.

    b. Los dioses del lugar.

    c. Los animales del lugar.

4. ¿Qué hizo el tlacuache para conseguir el fuego?

    a. Permaneció escondido, observó y tomó un tizón.

    b. Se escondió, prendió fuego a su cola y huyó.

    c. Se hizo el dormido, disparó flechas y robó el fuego.

5. ¿Por qué el tlacuache fue generoso?

    a. Porque fue un buen amigo de sus compañeros animales.

    b. Porque soportó sufrimientos para ayudar a los huicholes.

    c. Porque compartió el fuego con los huicholes y sus vecinos.

Compara tus respuestas con las que escribieron tus compañeros del grupo y corrige lo necesario.

Lee nuevamente el primer párrafo de la leyenda y escribe cómo mejoró la vida de los huicholes gracias al fuego.

_____

_____

Busca y escribe en la sección correspondiente de tu cuaderno el significado de las palabras **tizón** y **marsupio**.

Mi historia lectora

Vamos a investigar

Lee nuevamente *La leyenda del fuego*, para que recuerdes algunas características de los tlacuaches.

1. ¿Ese texto dice algo sobre el marsupio de los tlacuaches?

_____

2. ¿Qué puedes hacer para saber qué es el marsupio y por qué lo tienen

los tlacuaches? _____

Con la guía del maestro consulta en la biblioteca o en internet la siguiente información.

- ¿Qué es el marsupio de los tlacuaches?
- ¿Para qué les sirve?
- ¿Cuántas crías pueden tener los tlacuaches?
- ¿Cómo cuidan los tlacuaches a sus crías?

Escribe las ideas más importantes de la información que encontraste.

203

_____

_____

_____

_____

_____

Reúnete con tres compañeros y en equipos organicen una exposición oral para dar a conocer lo que investigaron.

1. En equipos, lea cada quien sus notas y escojan las ideas que darán a conocer.
2. Incluyan otros datos interesantes que hayan encontrado.
3. Decidan las ideas que desarrollará cada uno y, con la guía del maestro, escriban un guion.
4. Cada uno escriba en tarjetas o en una hoja algunas palabras que le ayuden a recordar las ideas que expondrá.
5. Elabora con tu equipo el material de apoyo para la exposición. Pueden hacer carteles, fotografías, recortes o una presentación en computadora, por ejemplo.
6. Anoten en el guion el material que usará cada uno cuando le toque participar.
7. Ensayen su exposición.

Realiza con tu equipo la exposición y pidan a otro equipo que evalúe su trabajo, marcando con una ✓ si se cumplió cada aspecto; usa el siguiente cuadro.

Evaluación de la exposición				
Expresó ideas claras y completas	Usó material de apoyo adecuado	Se mostró seguro al hablar	Moduló el volumen de su voz	Miró hacia el público mientras hablaba

El orden de los sucesos de la leyenda

Lee y anota los números para ordenar los sucesos según ocurrieron en *La leyenda del fuego*.

Orden	Sucesos
☐	Un día cayó un rayo y causó el incendio de varios árboles.
☐	Los animales intentaron, uno a uno, robar el fuego.
☐	El tlacuache metió la cola al fuego y con el hocico tomó un tizón.
☐	Los huicholes sufrían mucho por el intenso frío de la sierra.
☐	El tlacuache se hizo bola y pasó siete días sin moverse.
☐	Los vecinos de los huicholes organizaron un ejército para cuidar el fuego.
☐	El tlacuache malherido llegó con los huicholes y les entregó el fuego.

¿Cuál de los sucesos anteriores fue la causa principal del cambio en la

vida de los huicholes? _____

_____

_____

_____

● Compara tu trabajo con el que realizaron tus compañeros del grupo y corrige lo necesario.

Palabras con "h"

Encuentra, en la sopa de letras, 12 palabras con "h" y márcalas con un color.

m	n	k	x	b	x	h	o	g	u	e	r	a
w	h	a	b	i	t	a	c	i	o	n	e	s
m	h	a	c	e	x	x	w	w	k	m	v	v
w	o	z	k	n	w	w	m	m	h	m	p	k
x	m	s	w	h	u	i	c	h	o	l	e	s
m	b	k	m	e	x	x	k	a	g	w	t	h
x	r	m	m	c	w	w	w	b	a	x	x	a
w	e	q	q	h	q	r	r	í	r	r	r	c
t	s	k	w	o	w	z	z	a	e	w	w	e
h	a	m	b	r	e	x	x	w	s	w	k	r
k	h	o	r	a	s	w	w	x	f	f	f	l
h	i	c	i	e	r	o	n	x	w	k	w	o

Escribe en la columna que les corresponda las palabras que encontraste.

Sustantivos	Verbos	Adjetivos

Escoge tres de las palabras que escribiste y haz una oración con cada una.

_____

_____

_____

El Sol

Platica con el grupo acerca del Sol.

- ¿Para qué necesitamos al Sol?
- ¿Cómo te sientes cuando pasan varios días nublados y no ves la luz del Sol?
- ¿Cuándo se dice que amanece?, ¿te emociona ver el Sol por la mañana?
- ¿Qué sientes o piensas cuando se oculta el Sol?

Platica con un compañero de qué crees que trata y con qué propósito leerás el texto informativo *La estrella más importante para la Tierra*.

La estrella más importante para la Tierra

A pesar de que el Sol es la estrella que más cerca está de nuestro planeta Tierra, en realidad está muy lejos, a muchos kilómetros de distancia. Por eso, la luz que sale del Sol tarda un poco más de ocho minutos en llegarnos.

La luz y el calor del Sol que llegan a la Tierra son energías necesarias para la vida. Gracias a éstas crecen las plantas y, al comerlas, los animales y los humanos obtenemos la energía para vivir, movernos y hacer nuestras actividades diarias.

209

También con el Sol podemos medir el tiempo, pues en el amanecer, cuando aparece en el horizonte, empieza un nuevo día y permanece alumbrándonos hasta el atardecer, cuando vemos que se oculta, y da comienzo la noche.

Pero, además, el Sol y el amanecer son tan espectaculares que pintores, fotógrafos, escritores y poetas los han incluido en sus obras, relacionándolos con la fuerza, la energía, la alegría y la vida misma.

Texto elaborado por las autoras con base en la consulta de diferentes fuentes.

Escribe, después de analizar los siguientes puntos con tu compañero, lo que entendiste del texto *La estrella más importante para la Tierra*.

1. La luz del Sol tarda ocho minutos en verse en la Tierra, porque

_____.

2. Podríamos decir que sin el Sol moriríamos, porque no tendríamos

_____.

3. Al amanecer, el Sol aparece en el _____.

4. Cuando el Sol empieza a ocultarse es el _____.

5. El Sol también nos sirve para medir el _____.

6. El Sol y el amanecer son temas que usan los poetas para hablar de
_____.

Platiquen en grupo por qué creen que los artistas relacionan al Sol con la fuerza, la energía, la alegría y la vida misma.

Mi historia lectora

La sangre es un mar inmenso

A continuación leerás un fragmento del poema *La sangre es un mar inmenso*. Escribe de qué crees que trata y para qué lo leerás.

Creo que trata de _____

_____ .

Quiero leerlo por _____

_____ .

Libro de lectura

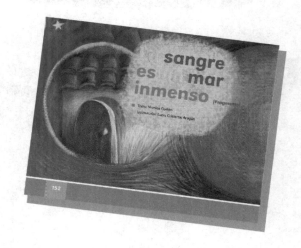

Busca el poema en el índice de tu libro, localízalo y léelo en silencio.

Comenta con el grupo las respuestas a las siguientes preguntas sobre el poema de Nicolás Guillén.

1. ¿Qué pensaste al leer la primera estrofa de *La sangre es un mar inmenso*?

_____

_____

_____

2. ¿Qué crees que quiso decir el poeta con la expresión "el sol da un golpe con su bastón"?, ¿cuál será el bastón del sol?

_____

_____

3. ¿Por qué crees que el autor del poema dice que el sol "suelta una carcajada"?

_____

_____

Haz un dibujo que ilustre lo que dice la segunda estrofa.

Muestra al grupo tu dibujo y explica lo que representa.

Mi historia lectora

214

Palabras del poema

Comparte con el grupo tus respuestas sobre la imagen anterior y el poema *La sangre es un mar inmenso*.

1. ¿Crees que tiene relación con el poema de Nicolás Guillén?, ¿por qué?
2. ¿Qué diferencias encuentras entre la imagen y el verso del poema con el que se relaciona?
3. ¿Qué palabras de *La sangre es un mar inmenso* te gustaría usar para escribir un poema?

Para convertirte en escritor de un poema, tomando prestado el de Nicolás Guillén, piensa a quién se lo darás a leer cuando lo hayas escrito y anota su nombre.

Le daré a leer mi poema a _____ .

Busca, con el maestro, en el diccionario las siguientes palabras y escribe los sinónimos que encuentres para usarlos en tu poema.

Palabras	Sinónimos
sale (salir)	
tocando (tocar)	
golpe	
suelta (soltar)	

Lee cada verso del poema *La sangre es un mar inmenso* y escríbelo cambiando las palabras en negritas por sinónimos.

La sangre es un mar inmenso, 1ª estrofa	Mi poema
El sol **sale** cada día,	
va **tocando** en cada casa,	
da un **golpe** con su bastón	
y **suelta** una carcajada...	

La sangre es un mar inmenso, 2ª estrofa	Mi poema
¡Que salga la vida al sol,	¡Que salga la vida al sol,
de donde **tantos** la guardan,	
y **veréis** cómo la vida	
corre de sol **empapada**!	

● Lee tu versión del poema en voz alta para ti y observa si se escucha bien lo que escribiste. Corrige lo que consideres necesario y escribe el poema en limpio.

217

Revisión y corrección de mi poema

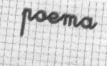

Intercambia tu trabajo con un compañero de otro equipo para que te ayude a revisar el poema. Deberá escribir "Sí" o "No" en cada línea después de cada oración.

1. Las palabras que se cambiaron significan algo parecido a las del

   poema *La sangre es un mar inmenso*. _____

2. Están bien escritas las palabras._____

3. Los signos de puntuación son iguales a los del poema original._____

4. El poema se escucha bien al leerlo en voz alta._____

Revisa los aspectos en los que tu compañero haya escrito "No"; corrígelos y pide al maestro que te ayude a revisar tus correcciones.

Copia en una hoja en limpio tu poema, haz un dibujo y entrégaselo a quien habías planeado dárselo.

Mi bitácora de escritor

218

Buen viaje

Comenta con tu grupo.

- ¿Por qué crees que a la gente le gusta viajar?
- ¿Te gustaría viajar?, ¿a dónde?
- ¿En qué transporte has viajado?

Libro de lectura

Leerás un poema que se llama *Buen viaje*. Antes, platica con un compañero de qué crees que se tratará.

Sigue, en tu libro, la lectura que hará el maestro para que veas si se trata de lo que pensaste.

219

Marca con una ✓ la respuesta a cada pregunta, de acuerdo con lo que dice el poema.

1. ¿De qué trata el poema?

   ☐ Del viaje imaginario de un juguete.

   ☐ De lo que les pasó a unos hermanos.

   ☐ Del viaje de un buque.

2. ¿Por qué se movía el barquito del poema?

   ☐ Porque tenía motor.

   ☐ Porque era muy veloz.

   ☐ Por el viento.

3. ¿Cómo se sentían los niños al ver su barco en movimiento?

   ☐ Enojados.

   ☐ Emocionados.

   ☐ Tristes.

4. ¿En qué te fijaste para contestar la pregunta anterior?

   _____ .

Compara tus respuestas con las del grupo. Después comenta, ¿qué sentiste al leer el poema?

Mi historia lectora

220

Los transportes

Forma un equipo con dos compañeros y platiquen sobre los transportes que conocen.

Anota, en la columna que corresponda, los transportes que mencionaron en tu equipo.

Aéreos	Marítimos	Terrestres

Comenta en equipo a qué se refieren las siguientes oraciones y luego complétalas.

Los transportes aéreos viajan por _____ .

Los transportes marítimos viajan por _____ .

Los transportes terrestres viajan por _____ .

Escribe a dónde te gustaría viajar, en qué transporte irías y lo que harías en ese lugar.

En el espacio siguiente, dibújate en ese viaje, como si te hubieras tomado una foto.

Lee a tu equipo lo que escribiste y muestra tu dibujo. Después compártanlo con el grupo.

¡Vamos a hacer un barquito de papel!

Lee el instructivo que viene a continuación y elabora un barquito.

Instructivo para hacer un barco de papel

1. Coloca una hoja de papel sobre la mesa.

2. Dobla la hoja por la mitad, de arriba hacia abajo.

3. Dobla las dos puntas superiores hacia el centro del papel. Fíjate que debajo de los dobleces debe quedar un pedazo de papel como solapa.

4. Dobla la solapa hacia arriba. Primero de un lado, voltea la figura y luego dobla la solapa del otro lado.

5. Dobla las puntas de la solapa hacia el lado contrario. Gira la figura y haz lo mismo con las otras dos puntas.

6. Separa el hueco que queda en medio de los triángulos, con tus dedos.

7. Dobla las esquinas hacia adentro. Te debe quedar un cuadrado.

8. Levanta la punta de abajo hasta que toque la de arriba.

9. Gira la figura y haz lo mismo con la otra punta.

10. Mete los dedos en el hueco y dóblalo para que quede un rombo.

11. Coge el papel por las dos puntas de arriba y jálalas poco a poco hasta que se estiren y se vea la forma del barco.

12. Ya tienes tu barquito de papel. Colócalo en el agua y hazlo navegar.

Comenta con tu grupo si fue fácil o difícil hacer el barquito.

Los verbos en las instrucciones

Subraya en el instructivo anterior las palabras que te indican lo que se debe hacer.

Copia a continuación las palabras que subrayaste. Las que se repiten sólo cópialas una vez.

_____   _____

_____   _____

_____   _____

_____   _____

Juega con el grupo a dar instrucciones.

1. Forma un equipo con dos compañeros y, de la lista, escojan las instrucciones que les gustaría explicar.
2. Piensen y escriban en su cuaderno los verbos con los que van a dar las instrucciones.
3. Sigan las instrucciones en equipo, leyendo los verbos que anotaron. Cambien o agreguen los pasos que sean necesarios.
4. Escojan a otro equipo para que sigan las instrucciones que ustedes les darán.

Instrucciones para comer una torta.

Instrucciones para caer en un agujero.

Instrucciones para asustar a un amigo.

Instrucciones para hacer cosquillas.

Instrucciones para quitarse un zapato.

Instrucciones para chupar una paleta.

 En equipo pregunten al maestro si dieron bien las instrucciones y en qué deben mejorar.

Descubre los significados

Platica en grupo qué significan las oraciones siguientes.

Mi papá es propietario de una camioneta.

Estos útiles escolares son de mi propiedad.

El poema *La sangre es un mar inmenso* es propiedad intelectual de Nicolás Guillén.

Este terreno es propiedad privada.

228

Pregunta a tus familiares y maestros de la escuela qué es el "derecho de propiedad" y escribe en el siguiente espacio lo que te digan.

_____

_____

_____

_____

_____

_____

_____

Después, comparte con el grupo lo que investigaste.

Un poema breve

Lee el título del inicio de esta página, coméntalo en grupo y escribe lo que se te pide.

1. ¿Qué tipo de texto vas a leer? _____

2. ¿Cómo crees que es el texto que vas a leer? _____

Libro de lectura

Leerás un poema que se llama *Derecho de propiedad*. Antes de leerlo, reúnete con un compañero y platiquen de qué creen que se tratará.

Lee el poema para tu compañero y escucha la lectura que él hará. Pon atención para que veas si se trata de lo que tú creíste.

Escribe las respuestas a las siguientes preguntas.

1. ¿De qué propiedad habla el poema?

_____.

2. ¿De quién es esa propiedad?

_____.

3. ¿Por qué dice que es suya esa propiedad?

_____.

Compara tus respuestas con las del grupo. Después comenta, ¿por qué te gustó o no el poema?

Mi historia lectora

Mi poema

Imagina qué elementos de la naturaleza te gustan y quisieras que fueran de tu propiedad.

Escríbelos en el siguiente cuadro. Observa el ejemplo.

Propiedades que quisiera tener	Sentido que usaría para obtener mi propiedad
El perfume de todas las flores.	
1.	
2.	
3.	
4.	
5.	

Utiliza lo que escribiste para hacer uno o más poemas, cambiando algunas partes de *Derecho de propiedad* de Elías Nandino. Si necesitas más espacio, escribe en tu cuaderno.

Nada es tan mío
como el perfume de todas las flores
cuando las huelo.

Nada es tan mío

como _____

cuando _____ .

Pide a un compañero que intercambien sus poemas y se ayuden a mejorarlos. Cuando estén listos, pásalos en limpio y júntalos con los demás para formar un libro de poemas del grupo.

Los datos del autor

Lee estos datos acerca de la vida de Elías Nandino, autor de *Derecho de propiedad.*

Elías Nandino Vallarta

Nació en Cocula, Jalisco, México, el 19 de abril de 1900. Hijo de doña María Vallarta y don Alberto Nandino. Elías fue el hijo mayor; le siguieron sus dos hermanas, Beatriz y Felícitas, la primera de las cuales falleció a la edad de catorce años. El dolor por la muerte de Beatriz fue lo que hizo que el joven poeta comenzara a escribir versos en su memoria.
Él mismo dijo:

"Recuerdo que leía los poemas que estaban en los libros de lectura de mis años de infancia. Pero entonces no comprendía por qué ni para qué se escribían poemas. Tenía 14 años cuando terminé el sexto grado. Un condiscípulo me prestó un librito de rimas de Gustavo Adolfo Bécquer: fue la primera vez que entendí y gocé los poemas. A los pocos meses mi hermana consentida enfermó de gravedad y después de una agonía desesperada de cinco días, murió. Un día, al atardecer, me fui al potrero de Los coyotes, que era de mi padre, y ahí, me puse a pensar, saqué un cuaderno de mi mochila y empecé a escribir: `Hermanita te pregunto´... Pasados unos meses tuve una novia, se llamaba Sara, y empecé a escribir mi libro *Canciones*. En esos días llegó un amigo mío, Luis Sánchez. Le enseñé los poemas que le había escrito a mi hermanita y los de *Canciones*, y me dijo: "¡A como dé lugar, tú tienes que irte a Guadalajara a estudiar preparatoria!".

Elías Nandino ingresó a la Escuela de Medicina de la Universidad Nacional Autónoma de México. Se graduó de médico en 1930, así que tuvo dos profesiones: poeta y médico.

Nandino murió en 1992, en Cocula, Jalisco, después de haber escrito una gran obra poética que lo hizo merecedor del Premio Nacional de Literatura.

Consultado el 18 de abril de 2014 en http://bit.ly/1g6u6rx (adaptación).

235

Comenten en grupo qué les pareció más interesante de la vida del poeta.

Escribe los siguientes datos de tu vida para que los des a conocer junto con tus poemas.

1. Lugar y fecha en que naciste.

Nací en _____, el día_____ de

_____ de _____ .

2. Lugar y nombre de las escuelas en las que has estudiado.

La primera escuela a la que asistí se llama _____

_____ .

Luego _____ .

3. Lugares en donde has vivido.

_____.

4. Lo que sentiste al escribir poemas.

Cuando escribo poemas, siento _____

porque _____.

Pide al maestro que te ayude a mejorar lo que escribiste para hacer un libro de poesía.

Pasa en limpio los datos de tu vida para juntarlos con tus poemas. Reúne tus escritos con los del grupo para formar el libro, que integrarán a la Biblioteca del Aula.

Solicita en préstamo el libro de poemas del grupo para leerlo en casa. No olvides cuándo tendrás que devolverlo para que otros compañeros lo puedan llevar a su casa.

El ratón y los vientos

Conversa en grupo acerca del viento.

1. ¿Qué es el viento?
2. ¿Qué sucede con algunas cosas cuando hay viento?
3. ¿De qué manera el viento podría hacernos bien o causarnos daño?
4. ¿Cuáles cuentos conoces en los que el viento participe?

Leerás el cuento *El ratón y los vientos*. Antes de leerlo contesta lo que se te pide.

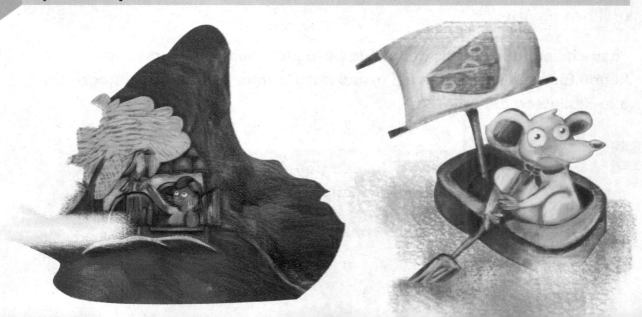

Pienso que el cuento trata de _____

_____.

Y me gustaría leerlo para _____

_____.

Localiza en el índice de tu libro el cuento _El ratón y los vientos_, búscalo y léelo en silencio.

Escribe las respuestas acerca del cuento y coméntalas con el grupo:

1. ¿Para qué llamó al viento el ratón? _____

_____

2. ¿Por qué el ratón tuvo que llamar a otro viento, luego a otro y a uno más? _____

_____

_____

3. ¿De dónde llegaron cuando el ratón los llamó?

_____

_____

4. ¿Piensas que los tres primeros vientos ayudaron

al ratón a lograr lo que quería? _____ , porque _____

_____

_____ .

5. ¿Cómo consiguió el ratón lo que quería?

_____

6. ¿Qué sucesos del cuento fueron iguales o parecidos a lo que

anotaste antes de leerlo? _____

_____

7. ¿La lectura del cuento te sirvió para lo que esperabas y escribiste

antes de leer? _____ ¿Por qué? _____

_____

Dile al grupo por qué te divertiste o por qué no te gustó el cuento.

Mi historia lectora

¿Vientos? ¡A volar!

1. El viento hizo _____ las hojas de los árboles.

2. Por el viento, el paraguas de la señora _____.

3. Cuando el viento sopló, el sombrero del señor _____.

4. El viento sopló y los globos del niño _____.

5. La niña rió al sentir que su pelo _____ con el viento.

6. Con un viento fuerte, el techo de la casa _____.

7. Los papeles de la maestra _____ por el viento.

8. Un viento hizo que los billetes de la señora _____.

Revisa con un compañero que las palabras que anotaste estén escritas con "v". Después completen adecuadamente las oraciones.

Escribe las respuestas a las siguientes preguntas.

1. ¿Con qué letra, "b" o "v", se escriben las palabras que anotaste?

_____

2. ¿A qué verbo corresponden esas palabras?

_____

3. ¿Escribe otras dos palabras derivadas del mismo verbo? _____

_____

4. ¿Por qué todas esas palabras se escriben con "v"?

Porque vienen del mismo _____ , que se escribe con _____

_____ .

Compara tus respuestas con el grupo y pidan al maestro que las revise.

Lee y comenta con tu grupo lo que significan las siguientes frases populares y por qué crees que se dicen.

- Marzo ventoso y abril lluvioso.
- Febrero loco y marzo otro poco.

Comenta en grupo: ¿con qué letra, "b" o "v", crees que se escribirán las palabras derivadas de viento y de lluvia?

Palabras para comparar

244

Lee las siguientes oraciones sobre los efectos del viento y encierra en un círculo las palabras que indican comparación. Observa el ejemplo.

1. En la cima de la montaña el viento sopla (más) fuerte (que) abajo.

2. Es más fácil que se levante la falda de la mujer cuando hay viento que cuando no existe.

3. El viento en el invierno no se siente igual que en el verano.

4. El viento del tornado es diferente al del huracán.

5. El efecto del viento del huracán es parecido al del ciclón.

Revisa con tu compañero las palabras que marcaste y escríbelas en una lista.

_____ _____

_____ _____

_____ _____

Escribe una oración para cada imagen usando palabras que indiquen comparación.

1. _____

   _____ .

2. _____

   _____ .

3. _____

   _____ .

Fuerte granizada en la ciudad

México, Distrito Federal, 25 de abril de 2015.

Ayer por la tarde, el frente frío número 60 trajo vientos helados que, al unirse al aire caliente de la atmósfera, provocaron una fuerte lluvia y granizada en la ciudad, con esferas de hielo de igual tamaño al de pelotas de golf. El tránsito de una gran cantidad de vehículos se obstaculizó debido al hielo y los encharcamientos.

Esto ocasionó que los conductores tardaran más tiempo que el acostumbrado para llegar a sus destinos.

El ingeniero Antonio Negrete, jefe de la oficina de aguas de la ciudad, explicó que además de la fuerte lluvia y granizada, las coladeras se encontraban tapadas por basura que los ciudadanos tiran en la calle, lo que contribuyó a que el desagüe fuera menos rápido que en otras ocasiones, provocando más encharcamientos que hace tres días, cuando la naturaleza también sorprendió a la ciudadanía con su poderosa fuerza.

246

Relaciona con una línea cada pregunta con lo que dice la noticia.

Preguntas	Respuestas que da la noticia
¿De qué hecho habla?	Ciudad de México.
¿En dónde ocurrió?	Llovió y cayó granizo.
¿Cuándo sucedió?	El viento frío chocó con el caliente. Provocó lluvia y granizo. Los automóviles no podían avanzar. La oficina explicó por qué se tapan las coladeras y se forman encharcamientos.
¿En qué orden ocurrieron los hechos?	El 24 de abril.

Conversa en grupo las comparaciones que se hacen en la noticia.

Juegos y deportes con el viento

248

Comenta con tu equipo cuáles juegos y deportes conoces que se
practican usando el viento.

¿Cómo le llamarías a los siguientes inventos? Escribe sus nombres con tu equipo.

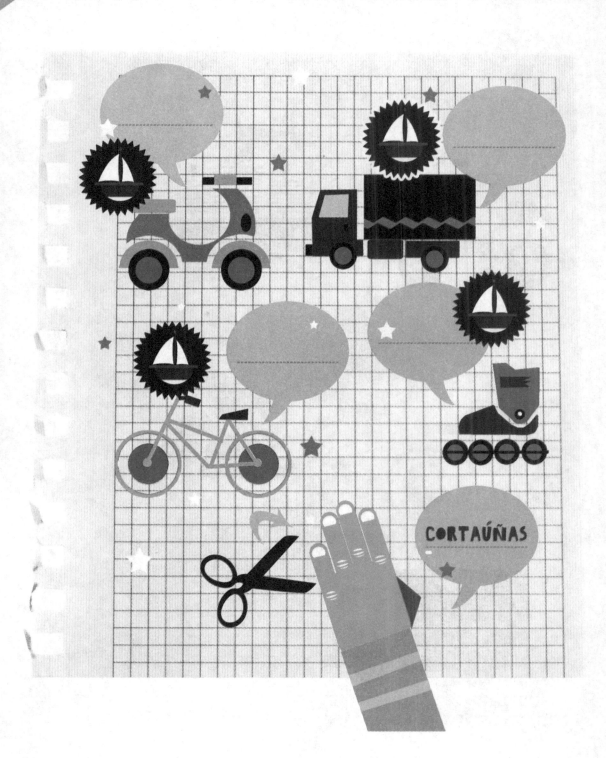

250

Inventa con tu equipo cuatro combinaciones de objetos y escribe las palabras compuestas que los nombren, juntando partes de sus nombres originales.

Palabras compuestas

_____   _____

_____   _____

Utiliza una de las palabras compuestas que inventaste para describir en un párrafo un objeto.

Descripción de _____

_____

Intercambia tu libro con un compañero para revisar lo siguiente.

Marca con una ✔ si lograste lo siguiente o una F, si no:

1. En el título está una palabra compuesta. ▊

2. La descripción incluye características del objeto. ▊

3. Se entiende lo que dice. ▊

4. El párrafo inicia con mayúscula. ▊

5. Se usan comas si hay alguna enumeración. ▊

6. Tiene punto final. ▊

7. Las palabras están bien escritas. ▊

_____

_____

_____

_____

_____

_____

_____

_____

_____

_____

_____

_____

_____

_____

_____

_____

_____

_____

_____

_____

_____

_____

_____

_____

_____

_____

a	a	a	a	a	a	a
b	b	b	c	c	c	d
d	d	e	e	e	e	e
e	e	f	f	f	g	g	g
h	h	h	i	i	i	i	i
i	j	j	j	k	k	k
l	l	l	l	l	m	m
m	m	m	m	n	n	n
n	n	ñ	ñ	ñ	o	o	o
o	o	o	p	p	p	p	p

p	q	q	q	r	r	r
r	r	r	s	s	s	s
s	s	t	t	t	t	t
t	u	u	u	u	u	v
v	v	v	w	w	x	x
x	x	y	y	y	y	y
z	z	z	a	a	a	e
e	i	i	i	o	o	o
u	u	c	c	l	l	m
n	n	p	p	r	r	s

a	a	a	a	a	a	a
b	b	b	c	c	c	d
d	d	e	e	e	e	e
e	e	f	f	f	g	g	g
h	h	h	i	i	i	i	i
i	j	j	j	j	k	k	k
l	l	l	l	l	l	m	m
m	m	m	m	n	n	n	n
n	n	ñ	ñ	ñ	o	o	o
o	o	o	p	p	p	p	p

p	q	q	q	r	r	r
r	r	r	s	s	s	s
s	s	t	t	t	t	t
t	u	u	u	u	u	v
v	v	w	w	x	x	x
x	x	y	y	y	y	y
z	z	z	W	W	X	X
Y	Y	Y	Z	Z	Z	

A	A	A	A	B	B	B
B	C	C	C	C	D	D
D	D	E	E	E	E	F
F	F	G	G	G	H	H	H
I	I	I	J	J	J	K	K
L	L	L	L	M	M	M	M
N	N	N	O	O	O	O	P
P	P	P	Q	Q	Q	R	R
R	R	S	S	S	T	T
T	T	U	U	U	V	V	V